Joë

DU MÊME AUTEUR

Dans ma peau, *récit, Stock, 2010, prix France Télévisions de l'essai*

Dans tes pas, *récit, Stock, 2013*

Guillaume de Fonclare

Joë

récit

Stock

Illustration de la bande : © Hans Bellmer,
Portrait de Joë Bousquet/ADAGP, Paris, 2014

ISBN 978-2-234-07720-1

À Jean-Marc

Bon chevalier masqué qui chevauche en silence,
Le Malheur a percé mon vieux cœur de sa lance.
Le sang de mon vieux cœur n'a fait qu'un jet vermeil,
Puis s'est évaporé sur les fleurs, au soleil.
L'ombre éteignit mes yeux, un cri vint à ma bouche
Et mon vieux cœur est mort dans un frisson farouche.
Alors le chevalier Malheur s'est rapproché,
Il a mis pied à terre et sa main m'a touché.
Son doigt ganté de fer entra dans ma blessure
Tandis qu'il attestait sa loi d'une voix dure.
Et voici qu'au contact glacé du doigt de fer
Un cœur me renaissait, tout un cœur pur et fier
Et voici que, fervent d'une candeur divine,
Tout un cœur jeune et bon battit dans ma poitrine !
Or je restais tremblant, ivre, incrédule un peu,
Comme un homme qui voit des visions de Dieu.
Mais le bon chevalier, remonté sur sa bête,
En s'éloignant, me fit un signe de la tête
Et me cria (j'entends encore cette voix) :
« Au moins, prudence ! Car c'est bon pour une fois. »

Paul Verlaine (1844-1896), *Sagesse*

Le 21 mars 1918, un grand fracas d'obus et de mitraille déchire le petit jour sur le front de la Somme ; cinquante divisions allemandes se lancent à l'assaut des lignes britanniques et françaises avec le fol espoir de faire, après quarante-quatre mois de guerre, la percée décisive. Les Allemands emploient leurs Sturmtruppen, petits groupes autonomes qui réduisent les défenses pour le gros de la troupe qui occupera ce qui aura été conquis. Au fond des tranchées, on s'embroche à coups de baïonnette, on se tabasse au marteau, à la masse d'arme, au manche de pioche, on détruit fortins et bunkers à l'explosif et au lance-flamme ; il faut avancer vite et on ne fait pas de prisonniers. Les lignes alliées sont enfoncées, mais on recule dans un désordre qui n'est pas une débâcle, on réorganise les défenses pour les déployer dans la profondeur : moins d'unités en première ligne, à charge pour elles de ralentir et d'user l'ennemi, pour qu'il arrive affaibli devant une deuxième et une troisième ligne renforcées qui arrêteront sa progression. Fin avril, les Allemands sont à bout de souffle ; ils veulent en finir à tout prix en jetant leurs forces dans un dernier effort. Le 27 mai à l'aube, cinq mille pièces d'artillerie bombardent les positions françaises du Chemin des Dames, et sept divisions déferlent sur quinze kilomètres de front, bousculant tout sur leur passage. En fin de journée, les Allemands sont sur les bords de l'Aisne, et tout le front est sur le point de céder.

Ce matin-là, vous ne dormiez pas. Depuis la veille au soir, votre régiment roulait vers son nouveau point de stationnement, un endroit où l'on vous débarquerait pour monter à l'assaut d'un réseau de tranchées, ou d'une redoute, ou bien encore d'un village en ruine hérissé de défenses. C'est ce qu'on réservait au 156ᵉ corps d'attaque, et à vous, sous-lieutenant Joë Bousquet de la 3ᵉ compagnie du 1ᵉʳ bataillon, parce que vous êtes le spécialiste des missions difficiles. On vous dépose au lever du jour sur une vaste plaine ondoyante de blés dans les parfums d'une aube de printemps. L'ennemi est là, derrières les collines, qui arrive au son du canon. On vous tient d'abord en réserve, en espérant qu'on pourra se passer de vous. Les combats font rage toute la matinée, et bientôt, il ne reste que votre division pour tenir la ligne ; derrière, c'est le grand vide, une étendue sans soldats qui court jusqu'à Paris. Alors en fin d'après-midi, on vous donne l'ordre d'occuper un bosquet qui est devenu, parce qu'il se tient sur un point haut, une forteresse imaginaire qu'il faudra tenir coûte que coûte, même si cela doit se payer un bon prix de morts et de blessés. Il fait beau, vous marchez au milieu des bleuets et des coquelicots qui font sur les immensités d'avoine et de blé des taches vives et presque joyeuses. Vous atteignez sans heurt vos positions, retranchés derrière un talus. Puis les obus commencent à pleuvoir ; les soldats ennemis arrivent, ils sont beaucoup plus nombreux que vous et leur feu est terrible. Bientôt, vous voilà encerclés sur trois côtés ; certains de vos hommes, cédant à la panique, s'enfuient ; vous vous levez en hurlant afin que votre voix couvre un instant le vacarme de la mitraille et du canon, leur intimant l'ordre de retourner à leur position. Quelqu'un vous crie de vous coucher, de vous mettre à l'abri. Les balles fusent, des obus éclatent ; des avions tournent dans le ciel, il fait chaud.

Vous n'entendez plus rien ; la tête haute, le torse bombé, vous êtes prêt, prêt pour cette balle qui, inévitablement, va venir vous frapper. Un Allemand vous ajuste, il tire et un morceau d'acier de trois centimètres de long est propulsé du canon de son fusil à deux fois la vitesse du son. En deux dixièmes de seconde, il est sur vous ; il traverse votre poitrine en déchirant vos deux poumons, puis il fracasse deux vertèbres. Vous vous écroulez, mais vous n'êtes pas mort pourtant, vous avez même toute votre tête : à votre caporal qui a rampé jusqu'à vous, vous ordonnez de faire procéder à la retraite de votre section. Mais vos soldats refusent de partir sans vous. L'un d'eux sort à la hâte une toile de tente de son sac à dos, et on vous allonge dessus sous la mitraille. Moitié vous portant, moitié vous traînant, on vous fait descendre la colline à toute allure, et chaque cahot du chemin vous déchire le corps. Très vite, vous prenez conscience que vos pieds ne répondent plus à vos sollicitations ; vos bottes de cuir rouge brinquebalent sur la toile dans les secousses du chemin sans que vous ne puissiez rien y faire. Avant même d'atteindre le poste de secours, vous avez la certitude que vous ne marcherez plus, et que désormais, c'est à l'horizontale qu'il faut envisager votre vie.

De vous, je ne savais rien. Je ne vous ai pas croisé à l'école dans mes livres de littérature, vous n'avez pas fait partie de mes lectures adolescentes, et si j'ai eu vent de vous, c'est de manière tellement fugace que je n'en ai gardé aucun souvenir. Puis une première fois, vous vous êtes fait connaître au détour d'une conversation avec un ami, mais je n'ai guère prêté attention à votre histoire ; seul votre prénom m'était resté en mémoire, cet étrange « Joë » qui sonnait bizarrement américain. J'ai appris plus tard que l'apposition du tréma sur le « e » était une volonté de vous différencier lors de la publication de vos premiers écrits ; vos amis, eux, ont continué à vous donner du « Joe » en diminutif de « Joseph », comme ils l'avaient toujours fait.

Pour moi, le mal était fait, et vous êtes resté « Joë ». Lorsque je suis devenu directeur de l'Historial de la Grande Guerre, à Péronne, ce grand musée de la Première Guerre mondiale qui m'a tant appris sur la souffrance des hommes, une deuxième fois, j'ai croisé votre image, une image biaisée d'un infirme cloué au lit, vivant dans les ténèbres et retranché du monde.

Je vous pensais poète sans vous avoir lu, je vous savais grand blessé de guerre sans savoir ce que la guerre vous avait fait, je vous savais courageux sans connaître la nature de votre courage. Je vous pensais pareil à moi-même, menant un même combat, luttant avec les mêmes armes contre les mêmes ennemis, parce que vous aviez le corps meurtri et la tête haute. En fin de compte, je m'étais trompé sur bien des choses, et de vous, vraiment, je ne savais rien. Je vous ai lu ; enfin, pour tout dire, j'ai lu tout ce que je pouvais lire, tout ce qui m'était accessible, car vous lire est difficile, ardu même ; votre prose est impénétrable pour qui n'a pas le courage d'entrer tout entier dans cette jungle sauvage et touffue, et il ne faut pas craindre d'être griffé et mordu, de se faire malmener par une langue qui n'a rien de commun ailleurs qu'entre vos pages. C'est un exercice difficile parce qu'il n'est pas habituel ; les recueils des poètes ont déserté nos tiroirs, et si l'on connaît quelques vers de Baudelaire, de Rimbaud ou de Verlaine, qui se soucie de Mallarmé, de Char et d'Éluard ? Qui se soucie de vous ? Alors c'est vrai, j'ai peiné à vous lire, j'ai peiné à comprendre le sens de vos écrits, et c'est lorsque j'ai enfin renoncé à le faire que vous m'êtes devenu indispensable. Durant des mois, j'ai vécu avec vous, et vous avez été l'objet de mes pensées ; durant tous ces mois, j'ai passé mes journées en sachant que, le soir, bien calé sur mon lit et dans le creux de mon oreiller, je retrouverais l'atmosphère bienveillante de votre chambre, les lourdes tentures tirées devant la porte, les fenêtres aux volets fermés, le grésillement de votre pipe d'opium et les volutes bleutées s'élevant doucement vers le plafond dans les craquements secs de la maison prenant sa place pour la nuit, et aux murs les tableaux de Dalí, Max Ernst, Dubuffet, veilleurs de vos songes étranges. Et pour peu que je doive, pour dormir un peu, prendre un cachet de morphine, j'aurais le sentiment de communier avec vous dans la bousculade de mes pensées ; les mots prendraient un sens, et, pour une heure ou deux, je serais poète avec vous.

Depuis quelque temps, je suis contraint d'utiliser régulièrement mon fauteuil électrique, lorsqu'il me faut marcher plus de deux cents mètres ou que je dois demeurer debout. C'est un des effets de cette maladie neuromusculaire qui s'acharne à me défaire depuis dix ans, et qui peu à peu m'entrave, me prive de ma capacité à bouger, à remuer, en m'infligeant des douleurs perpétuelles, cette maladie qui m'a contraint à arrêter de travailler, à quitter l'Historial et à trouver un autre sens à ma vie. L'utilisation de ce fauteuil constituait pour moi une avancée, un regain d'autonomie, et le système motorisé qui me permet de le charger seul dans le coffre de ma voiture me conférait la liberté d'aller où bon me semblait en solitaire ; je pouvais enfin imaginer mes déplacements sans la servitude du handicap. Ce bonheur a duré un mois, deux peut-être, jusqu'à ce qu'un matin je tombe sur Mme Chombier au rayon « épicerie » du supermarché de la petite ville où j'habite, cette Mme Chombier qui n'avait de cesse de me dire son admiration chaque fois que les circonstances s'y prêtaient, Mme Chombier, fan de la première heure. Je suis donc en train de chercher une boîte de maïs confortablement calé dans mon fauteuil, quand elle débouche au coin du rayon venant de l'allée centrale. Entre elle et moi, il y a une dizaine de mètres au plus. Elle me regarde, et, visiblement, ne me reconnaît pas. Ou plutôt si, elle me reconnaît ; elle fait bien le lien entre les traits de mon visage et mon identité, mais je vois bien que son cerveau n'admet pas que cette chose sur un fauteuil électrique qui tend le bras pour saisir une boîte de maïs fût moi, son héros. Elle connaît tout de ce qu'il est possible de connaître me concernant lorsqu'on ne fait pas partie de mes intimes, elle connaît mes livres qu'elle a lus jusqu'à la déraison, elle qui d'habitude ne lit pas ; elle connaît mon état de santé, elle connaît mes douleurs, mes empêchements, mon invalidité, elle sait que la maladie avance inéluctablement, et qu'à un moment ou un autre, j'allais me retrouver dans l'état où je suis à ce moment devant elle. Mais tout cela, c'était des prévisions de papier, de la littérature. Ici, je suis concrètement un handicapé, et, à ce titre, pour les yeux de Mme Chombier, j'ai disparu du domaine des vivants, je n'appartiens plus au monde des hommes. Je suis devenu minéral, abstrait, une boîte de conserve. Oui, je suis une boîte de maïs.

J'ai été naïf en imaginant qu'être en fauteuil, c'était avant tout être plus autonome, que ceci signifiait une victoire plutôt qu'une défaite. Oui, quand je me tiens debout appuyé sur ma canne, je suis un homme courageux qui lutte avec détermination contre le mal qui le ronge. Oui, quand je me tiens debout, je peux être admiré car admirable, mais si par malheur, je m'assieds, je m'abaisse, je sombre. M'est alors revenu en mémoire tout ce à quoi je n'avais pas prêté attention ces dernières semaines ; d'autres regards, des gestes ou des absences de geste, la gêne de certains et la trop grande cordialité des autres, toutes ces petites choses qui marquent une différence d'avec « l'habitude », d'avec l'époque où l'on se tenait droit et que son petit handicap ne tenait qu'à une canne où l'on s'appuyait avec la plus grande distinction possible.

Devant mes boîtes de maïs et de haricots, une grande envie de fuir m'est venue, de fuir loin et pour toujours. Un grand vide aussi, comme si je venais de découvrir la réalité du monde, une réalité aussi absurde que terrible et déprimante. Pas question de mourir cependant, s'il faut fuir, il faut le faire en homme, et surtout, ne rien céder au découragement. S'enfermer ; tirer les volets, les rideaux et s'enfermer, voilà la solution, me suis-je dit, s'enfermer comme vous vous êtes enfermé durant vingt-six ans dans votre chambre, s'enfermer à la façon de Joë Bousquet, pour quitter le monde par la grande porte, en conscience, sans lâcheté. S'enfermer vivant pour attendre la mort. À cet instant, j'ai pensé devenir votre frère d'ombre. Je me trompais, car ce n'est pas l'ombre qui vous portait, c'est de lumière dont il s'agissait. Et si je suis devenu votre frère, c'est qu'alors, je suis le plus vivant des hommes. Et ça, il me fallait l'apprendre.

Dès vos premiers instants, les ténèbres vous guettent : en cette soirée du 19 mars 1897, vous venez de sortir du ventre de votre mère et vous ne bougez pas, vous ne respirez pas ; à ce stade, vous avez tout du mort-né. La sage-femme s'acharne cependant ; deux heures durant, elle masse votre petit corps violacé, vous fait du bouche-à-bouche, vous claque les joues en espérant une réaction. Un instant, vous êtes là, un autre, vous n'y êtes plus, pulsion de vie et pulsion de mort enchevêtrées. Enfin, au bout de ces deux heures, vous finissez par choisir la vie, et vous naissez. Vous auriez vu le jour au crépuscule plutôt qu'à l'aube du XXe siècle, on vous aurait introduit un tuyau d'oxygène dans la bouche jusqu'à vos poumons, votre cœur se serait arrêté qu'on l'aurait défibrillé à grand renfort de décharges électriques, et ce n'est pas une sage-femme que vous auriez eue à votre disposition, mais cinq, ou dix, et autant de médecins de toutes spécialités qui seraient venus vous voir tous les jours pendant toutes les semaines que vous auriez passées dans une unité de soins intensifs. Vous eussiez été mon fils que je me serais fait un sang d'encre ; votre mère et moi aurions été dévastés par l'antienne sans fin des « pourquoi » et des « comment ». Car tout de suite, après quelques minutes, quelques heures au plus, se serait posée la question des éventuelles séquelles. Un cerveau sans oxygène, fût-ce pour deux minutes à peine, ce n'est pas bon, pas bon du tout ; c'est ce que nous nous serions dit, et c'est ce qu'on nous aurait vite confirmé. Mais personne pour nous préciser l'étendue et la nature de ces séquelles. La plupart, les plus sérieux ?, nous auraient dit : « Il faut attendre », et nous de ne pas savoir à quoi nous en tenir au chevet de notre bébé ivre de vie. Car vous, après deux heures de réanimation, vous êtes en pleine forme ; vous gesticulez, vous criez, vous tétez les seins que l'on vous tend, et des éventuelles séquelles, vous paraissez n'en avoir rien à faire. « Il faut attendre », nous répéterait-on quand même.

Quoi qu'il en soit, nous aurions anticipé, votre mère et moi, les conséquences du traumatisme de votre naissance ; entre deux rendez-vous avec les pédiatres et les neurologues, nous aurions couru, que dis-je couru, nous nous serions rués chez le premier psychologue venu pour tout savoir du retentissement de votre mise au monde sur votre vie psychique. Et lui non plus n'aurait pas su nous rassurer ; on ne peut rien affirmer, on ne peut rien prédire. Et l'aurait-il pu que nous aurions guetté tout de même durant le reste de notre vie vos baisses de forme, vos accès de colère et vos humeurs maussades, petits drames en tout genre que nous aurions imputés au grand désordre de votre mise au monde. Mais alors que le matin vient chasser les dernières ombres de la nuit ce matin du 20 mars 1897, tous se réjouissent d'une si bonne fortune, et remercient chaudement, j'imagine, la bonne sage-femme dont la ténacité aura fini par vous faire naître, contre vents et marées.

La mort n'en a pas fini avec vous : vous avez un an à peine lorsqu'un soir de printemps, on vous découvre mâchouillant les tétons de votre nourrice, morte d'une attaque alors qu'elle vous donnait le sein ; on imagine les cris de la maisonnée tandis qu'on vous arrache au corps sans vie, et peut-être vos pleurs d'être enlevé si brusquement à celle qui vous dorlotait et vous nourrissait. L'année suivante, une fièvre typhoïde manque de vous emporter, et durant trois semaines, vous luttez pour survivre. Vous êtes, dès votre plus jeune âge, un survivant, et vous garderez un goût marqué pour les expériences morbides, cherchant avec constance à vous tenir sur la frontière de votre existence dans une expérience sensible de ce qu'est la vie, et de ce qu'est la mort. Fût-ce dans les tranchées d'une guerre mondiale.

Depuis des heures, le son du canon roule sous l'horizon en un battement de tambour ininterrompu. De temps à autre, un fortissimo déchire l'atmosphère, le sol tremble sous les pieds alors que les mains se crispent sur le fusil, ou la crosse du pistolet, le manche de la pelle, de la pioche, de la masse ou du poignard, et l'on courbe le dos en rentrant la tête. D'autres fois, la cavalcade des explosions s'approche en un cortège décidé, ordonné. D'abord une rumeur sourde dans le lointain, puis de premiers éclats à l'horizon, et, peu à peu, une batterie qui s'accorde avec le feu qui s'avance : le bruit plus sourd des 120 mm qui pulvérisent en profondeur, et le matraquage régulier des 77 mm. Le danger fond sur vous comme un rapace affamé, les obus sifflent et s'écrasent en un staccato meurtrier ; les tranchées sont éventrées, bouleversées, des corps s'envolent dans l'éclat blanc des munitions qui explosent, la chair est pulvérisée et elle retombe comme la pluie d'un orage écœurant sur ceux qui vivent encore, et qui se terrent, prostrés, le visage enfoui dans la boue ; chacun murmure les prières qu'il peut, et que l'on soit croyant ou pas, elles sont toutes sincères. Enfin, le feu s'arrête et surgit dans la fumée une horde rugissante. Les fusils claquent, les mitrailleuses crépitent, des silhouettes s'effondrent en hurlant, mais très vite, on s'explique au corps à corps, on se lacère, on s'éventre à coups de baïonnette et de couteau, on se fracasse le crâne à grand renfort de matraques et de casse-tête en tout genre dont on a savamment peaufiné la forme, les angles et les appendices meurtriers pendant ses périodes de repos. Les blessés gémissent, quelques-uns pleurent en appelant leur mère ; et l'on se bat bientôt sur un lit de cadavres.

Vient, après des journées de terreur, le grand calme. La tornade s'en est allée ailleurs, mais ce silence inquiète ; pour savoir de quoi il retourne, on a besoin de renseignements, et pour les obtenir, de faire des prisonniers. Vous, avec une poignée d'hommes, vous vous êtes fait le spécialiste de ces missions d'infiltration. La nuit tombée, vous ôtez de votre uniforme tous les signes distinctifs pour éviter de fournir trop d'informations à l'ennemi si vous êtes pris, vous noircissez les boutons de votre vareuse, la boucle de votre ceinturon et votre visage afin de vous fondre dans la pénombre ; pour vous défendre, vous prenez un revolver, et pour vous défaire des sentinelles, un poignard. Vous quittez la tranchée par une issue discrète, en suivant un boyau que personne n'emprunte parce qu'on sait qu'au bout, c'est l'autre côté. Une fois en position, vous écoutez, vous épiez, vous comptez le nombre de nids de mitrailleuses, de bastions, de postes de guetteurs.

Au plus noir du plus noir de la nuit, vous vous faufilez à pas de loup vers une silhouette grise, en maîtrisant le bruit de votre souffle, votre cœur battant à tout rompre ; à un pas de distance, vous bondissez, et vous lui collez votre poignard sur la gorge et une main sur la bouche, en murmurant un long « chuuuut » dans le creux de son oreille. Vous le débarrassez de son fusil, vous le tirez vers votre cachette et vous le fouillez ; éventuellement, vous récupérez sa montre, son poignard, ou son briquet. Il ne proteste pas, bien content d'être en vie et de voir sa guerre se terminer sans dommage.

D'autres fois, vous vous faites nettoyeur de tranchée ; avec un revolver, un couteau, des grenades, vous êtes de ceux qui parcourent le champ de bataille en arrière du gros des troupes après l'offensive, fouillant les boyaux, les fortins, les cagnas pour en éliminer les éventuels dangers, soldats ennemis cachés, blessés, mourants, qui pourraient retourner leurs armes contre les assaillants dans un dernier sursaut de patriotisme ; on tue, on exécute, on élimine, sans conscience, sans pitié.

Cette guerre, vous avez voulu la faire, et vous vous y êtes engagé avec ardeur et une forme de joie, oui, de joie virile pour ce que vous considériez comme un gigantesque jeu en plein air. Et vous auriez volontiers devancé l'appel si votre père vous avait laissé faire. Mais lui, c'est comme médecin militaire qu'il a commencé sa guerre, et il a vite compris que le « jeu », c'était du sang, des tripes, des morts, des hurlements dans la nuit, une machine à broyer les rêves et les espoirs. Vous, vous n'aviez cure de ses récits ensanglantés, vous vouliez justement en découdre, et le sang et les tripes ne vous faisaient pas peur. À dix-neuf ans, c'est enfin votre tour ; vous partez pour Aurillac faire vos classes. Vous êtes de Carcassonne, alors Aurillac, c'est encore chez vous, on peut y baguenauder dans une campagne souriante, on peut flirter, boire des coups avec les copains, le soleil est partout aux murs des villages, c'est encore la vie, la belle vie.

Ce n'est pas la guerre, et pour la guerre, vous voulez du coriace : à l'issue de vos classes, vous optez pour le 156e régiment d'infanterie – un régiment disciplinaire, composé de repris de justice et de fortes têtes – caserné à Toul, bien loin de votre Midi natal. Mais peu vous chaut ; ce que vous recherchez, c'est la franchise des rapports humains, la camaraderie virile qui ne s'embarrasse pas de codes ni d'a priori. Alors, un régiment de repris de justice et de fortes têtes, ça vous convient parfaitement. Vous êtes aspirant officier, susceptible de commander une section de trente soldats ; mais pour être obéi, il faut gagner un respect qui ne tient pas à l'affirmation de votre niveau de culture ni à la qualité de votre éducation. Vous allez donc faire la seule chose qui compte aux yeux de ces hommes, vous allez jouer votre vie pour montrer le chef que vous êtes. Vous entrez en scène le 16 avril 1917 pour l'offensive sur le Chemin des Dames, avec une mission ardue pour laquelle vous vous êtes porté volontaire : au sein d'un peloton de patrouilleurs, vous devez sonder les défenses ennemies et faire votre rapport avant que ne débutent les combats. Les choses tournent mal ; à midi, tous les officiers de votre détachement sont morts, et vous êtes de facto le chef de patrouille. À la tête des quelques hommes qu'il vous reste, vous vous réfugiez dans une tranchée abandonnée que vous défendez avec vigueur, jusqu'à être rejoints par le gros des troupes. Cette action d'éclat vous vaut une citation à l'ordre de l'armée, la médaille militaire et des galons de sous-lieutenant. Mais plus que tout, vous avez gagné l'estime de vos hommes, qui, dès lors, vous suivront partout ; vous vous faites alors l'expert en coups de main et en opérations dangereuses, et votre courage, votre bravoure font l'admiration.

Vous êtes un très bon soldat, un très grand soldat même, et l'un des meilleurs officiers de votre compagnie, si ce n'est de votre division, voire de l'armée tout entière. Vous avez compris cependant que la guerre n'était pas ce jeu auquel vous brûliez de jouer ; les grands soldats ne gagnent plus les guerres. Finis les Bayard au pont du Garigliano ou les Bonaparte au pont d'Arcole ; au Chemin des Dames, on ne gagne pas la bataille baïonnette au canon. Alors, oui, vous êtes un très bon soldat, comme il en meurt des dizaines tous les jours dans ce conflit absurde. Et vous, vous ne voulez pas finir embroché au fond d'une tranchée ou éparpillé en un million de morceaux dans le no man's land. Car plus le temps passe, plus mourir paraît inéluctable ; sans aucun doute, cette guerre vous dévorera tous. Mais vous n'attendrez pas que la mort vous cueille à son bon vouloir ; vous voulez mourir comme il faut, et la mort, c'est vous qui irez la chercher.

On vous appelait « l'homme-chien » ; vous n'aviez pas dix ans et vous éventriez les poupées, vous mordiez jusqu'au sang les petites filles qu'on avait la folie de vous présenter. Pour vous punir de ces étranges écarts, votre père vous faisait donner le fouet par son cocher ; le dos brûlant et zébré de coups, vous alliez vous réfugier au lit, et, recroquevillé sous les draps, vous vous arrachiez l'intérieur des joues avec vos dents pour retrouver la volupté de goûter à des chairs si douces. D'autres fois, vous faisiez de jolis cartons sur les chiens et chats du voisinage avec la petite carabine que votre père vous avait offerte pour que vous développiez vos talents de chasseur ; étendu sous un cerisier du verger, vous passiez l'après-midi à attendre qu'une proie passe à votre portée, et d'aucuns prétendent même que vous avez ajusté votre petite sœur et qu'elle a bien failli en mourir. On a calmé les voisins, on a soigné votre sœur, et on vous a confisqué la carabine, à votre grand désespoir.

Vous passiez vos étés à La Palme, au bord de la Méditerranée, chez votre grand-père Bousquet. Avec les gamins du village, vous couriez les collines de maquis et, à défaut de cow-boys et d'Indiens, vous refaisiez la guerre entre les gentils cathares et les méchants chevaliers du Nord. D'année en année, vous faisiez l'expérience de libertés nouvelles, celles d'user de votre corps qui vous offrait des possibilités supplémentaires : courir plus vite à la poursuite d'un lièvre, d'une grive ou d'un ennemi imaginaire, puis, plus tard, danser, séduire, faire l'amour. Et tout faire sans entraves, instinctivement, en ne respectant aucune règle, même si l'on devait avoir à pâtir de cet exercice égoïste de votre libre arbitre. C'était cela, votre liberté, ce pour quoi vous étiez prêt à vous battre ; la liberté de jouir de la vie comme vous le vouliez. Vous, le survivant à votre propre naissance, vous saviez que la vie n'avait pas de prix, et que, dans l'instant, un trébuchement pouvait vous fracasser le crâne sur le sol. Alors vous avez choisi de n'en faire qu'à votre tête, dans l'irrespect de tout, si ce n'est de vous-même et de vos propres convictions, qui ne tenaient rien de la morale ou de l'opinion publique.

Et puis voilà que le destin vous prive d'une bonne partie de votre corps, ne vous laissant qu'une paire de bras et une tête confuse, confite de regrets un jour, pleine d'espoirs un autre, n'ayant de cesse de bourdonner d'interrogations. Invalide, handicapé, mis dans un fauteuil pour sortir au soleil, à votre tour d'être mordu, vos journées s'écoulent de plainte en plainte, d'épreuve en épreuve, et vous redoutez celles qui reviennent de jour en jour, comme ce fin et long tuyau de plastique qu'il faut introduire dans votre verge et pousser jusqu'à votre vessie pour qu'elle se vide, comme vos selles qu'il faut évacuer avec les doigts, et vos membres tordus qu'il faut détendre. D'autres souffrances s'invitent de façon plus irrégulière : l'infection rénale, les escarres, les crampes, le mal de tête. Et puis les maux de tout un chacun : la grippe, la bronchite qui dure parce qu'on respire mal, l'arthrose. En 1918, à vingt et un ans, il n'y a plus d'homme-chien ; il n'y a plus qu'un homme vibrant d'espoirs dans une charrette ridicule, un homme petit et sale qui rêve de pouvoir à nouveau courir sus à de méchants chevaliers du Nord.

La balle qui vous a déchiré le torse était maculée de microbes et de bactéries qui ont colonisé le bord de vos plaies, rongé la chair et pourri le sang. Pas de pénicilline en 1918, et c'est heureux qu'on se lavât les mains avant de changer vos bandages ; une infirmière dans un hôpital de campagne – une ferme, un entrepôt, un carré de terre battue aménagé à la hâte –, se frayant un chemin entre morts et blessés, dans les râles et les cris, se lave-t-elle les mains ? Et où le ferait-elle ? Peut-être dans une cuvette de fer-blanc avec un broc d'eau et un morceau de savon que tout le monde partage. Alors rien d'étonnant à ce que l'infection s'installe et consolide ses positions. Bientôt une gangrène gazeuse menace de vous submerger tout entier. S'ensuivent trois mois entre la vie et la mort, à demi conscient, brûlant de fièvre, où l'on ne donne pas cher de votre peau. Et enfin, au sortir de ce sinistre voyage, votre corps qui vous raconte sa terrible histoire, l'histoire d'un homme coupé en deux ; de la troisième vertèbre cervicale à vos petits orteils s'étend un royaume dont vous n'êtes plus le maître, et dont le ronronnement mécanique obéit à des lois qui ne sont plus de votre ressort. Plus de contrôle sur vos sphincters, vos fantasmes ne déclenchent plus aucune érection ; si vous bougez, c'est un sursaut, un réflexe, quelque chose qui n'a rien à voir avec votre volonté. En ce triste corps, plus rien de gracieux, votre tronc est flasque et vos jambes sont maigres ; vous n'êtes qu'un piteux tas de barbaque, immobile à jamais et baignant dans ses excréments.

En six ans, de 1918 à 1924, vous aurez vu plus de quarante médecins. Certains ont multiplié les investigations médicales, souvent douloureuses et inutiles, avant de s'avouer vaincu et de vous envoyer vers un confrère, que vous espériez plus expert ou plus malin. D'autres vous ont conseillé la patience en affirmant que tout n'était pas perdu, que la balle n'avait peut-être pas entièrement sectionné votre moelle épinière ; on vous a encouragé à faire bouger vos orteils, puisque vous pouviez en mouvoir certains ; on vous a même levé, et vous aviez l'illusion alors, coincé entre deux infirmiers malabars qui vous portaient plus qu'ils ne vous soutenaient, de faire un pas, et puis un autre, et parfois un troisième avant de vous laisser choir comme une marionnette de chiffon. Un chirurgien a même poussé la bêtise ou le vice jusqu'à faire sautiller devant vous un soldat dont la troisième vertèbre cervicale, affirmait-il, avait été brisée comme la vôtre et que son habileté chirurgicale avait rétablie dans son intégrité, donnant ce trépidant résultat. Et puis, quelques-uns ont suggéré que le problème était dans votre tête, et que si vous n'étiez pas fou, vous étiez au moins très sérieusement perturbé. À cela, vous n'avez rien répondu ; non, vous n'étiez pas fou, et vos douleurs n'avaient pas pour origine un cerveau défaillant, mais l'incapacité de vos médecins de déterminer la cause de vos souffrances et l'inconstance de leurs diagnostics risquait bien de vous faire perdre la tête.

Pendant six ans, vous avez accepté tous les traitements, toutes les interventions ; vous êtes allé en cure, vous êtes allé respirer l'air de la montagne et l'air de la mer, on vous a massé, on vous a manipulé, on a tenté de vous rééduquer, tout ce qu'il était possible de faire, on l'a fait ; vous, vous acceptiez tout, pourvu qu'on continue à vous affirmer que vous n'aviez rien, ou, tout du moins, rien de bien méchant, vous acceptiez qu'on vous dise que votre immobilité était transitoire, vous acceptiez qu'on affirme que vos douleurs n'étaient que passagères, vous acceptiez que votre père vous prescrive de l'opium à fumer pour calmer vos douleurs, parce que tout cela n'était rien tant que vous aviez la perspective certaine de vous remettre debout ; vous étiez prêt à faire tous les efforts, à consentir tous les sacrifices pour guérir. À chacun de vos réveils, vous envisagiez le jour à venir et ses désagréments comme un pas supplémentaire vers cet horizon merveilleux. Vos orteils se contractant sans que vous n'en ayez eu le désir, vos jambes immobiles tressautant tout à coup par l'effet d'un influx nerveux que vous ne contrôliez plus, tous ces mouvements réflexes dont l'origine vous paraissait totalement étrangère ne vous contrariaient pas, ils n'étaient que des événements microscopiques dont vous auriez à rire demain, lorsque vous remarcheriez, lorsque vous seriez capable de courir, de sauter, de grimper, lorsque vous seriez capable de refaire toutes ces choses que vous faisiez autrefois, avant la blessure. Guérir ! Guérir ! Il n'était question que de cela, et vous auriez préféré mourir pour de bon plutôt que d'y renoncer.

Il a bien fallu quitter l'enfance, et vous avez fini par vous assagir ; vous voilà adolescent, un adolescent hors norme, mais sans violence. Vous êtes élève au collège de Carcassonne, et vous n'y êtes guère brillant, comme il se doit pour quelqu'un qui jette sur le monde un regard cynique et amusé. Mais vous faites ce qu'il faut pour réussir tout de même votre premier bac, juste le minimum. Votre principal centre d'intérêt, ce sont les filles, et plutôt les jeunes dames que les fillettes, autant pour choquer le beau monde que pour vous lancer des défis stupides ; des jeunes femmes de bonne famille, et quelquefois même, des femmes mariées. Vous adorez vous pavaner au bras de vos conquêtes dans les rues de Carcassonne, cigarette au bec et la casquette crânement posée sur votre tête à la manière de ces « apaches », ces mauvais garçons de Paris qui n'hésitent pas à faire le coup de poing avec la police. Vous, vous faites jaser les bien-pensants et fuser les potins, et cela suffisait à votre bonheur.

Serge, votre meilleur ami d'alors, n'a pas vos habitudes ni vos appétences. Il est de la meilleure noblesse, de cette noblesse qui veut encore tenir grand train sans avoir le premier sou, et qui dresse la table avec de grands verres en cristal et des couverts en argent, avec de vieilles servantes pour faire le service, de celles qui acceptent encore les retards de paiement de leur salaire parce qu'on sert la famille depuis tant de générations que l'asservissement est un atavisme. Une fois par semaine, Mme de R. ouvre sa table et vous dînez en grande pompe avec toute la famille, leurs invités et les quelques jeunes filles qu'on n'aura pas manqué d'inviter pour faire banquette. En attendant de passer à table, l'une joue un menuet sur le vieux piano, l'autre pousse la chansonnette ; on fume, on boit un apéritif les yeux dans le vague, en faisant semblant d'écouter son voisin qui raconte la même histoire que la semaine dernière et que la semaine d'avant. Puis on annonce le dîner ; le vieux comte de R. s'assied au bout de l'immense tablée avec des lenteurs de souverain déchu et lance la conversation de sa belle voix grave alors qu'on sert les hors-d'œuvre. Vous l'admirez beaucoup, car il a cette grandeur des vieux hommes qui savent entendre et écouter, et qui prêtent aux autres plus d'attention qu'à leur propre personne, ce qui n'est pas chose aisée lorsqu'on est à un âge où le corps grince et gémit ; il promène avec distinction ses neuf décennies de savoir et d'expérience sans esbroufe et sans arrogance, donnant au mot « noblesse » une juste incarnation. Tout le repas, on fait assaut de courtoisie et de bons mots, en respectant les règles de caste : on ne parle pas politique et on ne fait pas dans la gaudriole, et si l'on évoque la religion, c'est pour louer les bienfaits du Seigneur. Bref, on ne dit pas grand-chose, mais on le fait dans les règles d'un art qui se pratique avec virtuosité, tout en nuances et chatoiements. Et en cette petite cour de province, vous brillez, bien sûr ; la mère de Serge vous sourit avec bienveillance, les jeunes filles minaudent et vos bons mots amusent ; et tout le monde de trouver que ce fils de bourgeois a décidément belle allure. Mais M. de R. serait bien étonné de savoir qu'en sortant de chez lui, vous courrez au bar boire un dernier verre avec les ouvriers de la manufacture du coin ; car vous vous sentez à l'aise partout et avec tout le monde. Déjà, vous vous construisez un monde dont vous fixez des règles qui ne conviennent qu'à vous, et dont les frontières dépassent très largement le cadre étroit des convenances et des normes sociales.

Après votre bac, votre père, vous trouvant un peu tendre, décide de vous endurcir en vous envoyant quelques mois en Angleterre. Non pas à Londres, où il craint que vous ne fassiez des bêtises avec ces dames de la *gentry*, mais à Southampton, ce grand port de la Manche coincé au fond d'un estuaire étroit et perpétuellement noyé de brume, dans une famille modeste, dont le chef de famille, représentant de commerce, est perpétuellement absent. Il vous faudra un grand courage pour ne pas succomber au feu ardent des promesses de Madame son épouse, qui n'aura de cesse durant les quatre mois de votre séjour, de faire assaut de tous ses charmes pour vous prendre dans ses filets. Vous saurez vous tenir, et vous ne céderez point ; vous ferez bien d'autres conquêtes, et ce voyage censé vous affermir n'aura pour autre effet que de vous aguerrir à l'amour. Joies physiques, joies de l'esprit, vous avez multiplié les expériences sans vous plier à aucune contrainte.

À Southampton, vous faites la découverte du Nord et de la poésie des cieux de gris. Pour vous, le Méridional, le soleil était un dû ; si un matin, un voile d'ombre estompait le bleu du ciel de Carcassonne, vous saviez d'expérience que la journée, à un moment ou un autre, vous rendrait un azur immaculé. À Southampton, le gris est de coutume, un gris aux mille nuances, certes, mais un gris tout de même, et un gris qui dure des jours, des semaines, des mois parfois. Le ciel se pose alors sur des toits de tuiles rousses au-dessus des rues étroites, où les façades de brique s'éclairent çà et là de la tache plus claire d'un mur à colombages ; quelquefois, il avale même les toitures et descend en un brouillard épais jusqu'au sol. Mais lorsqu'un rai de lumière arrive à percer ces cieux désespérants, il embrase de couleurs inattendues toute la ville et toute la campagne autour ; ce sont des bleus comme il n'en existe que dans les pays où il pleut, des verts éblouissants, fluorescents, et des hordes de nuages orange et violacés. De tout cela, vous garderez un souvenir éclatant ; vous avez appris à aimer un pays qui n'est pas le vôtre, et des gens dont, au premier abord, vous ne compreniez rien des coutumes ni de la langue. Les quatre mois de cette expérience anglaise compteront comme des années, et lorsque vous rentrez à Carcassonne, vous abandonnez définitivement – au grand désespoir de votre mère –, les culottes courtes pour des pantalons longs ; à dix-sept ans, c'est décidé, vous voilà un homme.

C'est un soir où l'on donne *Werther* de Massenet au théâtre de Béziers. Vous avez profité d'une de vos premières permissions, de celles qu'avait fini par accorder aux soldats le haut commandement français après les mutineries de 1917, en allant au concert. Mais ce n'est pas *Werther* qui retient votre attention, c'est cette jeune femme blonde, si belle et à l'air si doux, assise là-bas, à l'orchestre. Vous l'abordez à l'entracte en déployant tout votre charme ; elle n'est pas mécontente de vous jauger d'un peu plus près, car elle n'a pas été sans remarquer votre insistance à la regarder pendant le spectacle ; dans votre uniforme de lieutenant, le poitrail scintillant de vos médailles, vous deviez avoir belle allure. Après la représentation, elle fait quelques pas à votre bras, et vous en apprenez un peu plus sur elle. Elle s'appelle Marthe, elle est en instance de divorce d'un mari qu'elle connaît à peine et qu'elle a quitté au bout de quelques jours parce qu'il l'insupporte. De ce mariage arrangé, elle veut tout oublier, mais sans payer le prix fort ; alors, elle prend bien garde à ne pas prêter le flanc à la critique et surveille sa conduite, afin de ne pas laisser croire qu'elle est volage et qu'elle aurait pu être adultère durant les quelques jours de son union. Vous voilà prévenu. Le lendemain, vous repartez pour le front.

Marthe, sans le savoir, vous ressuscite, elle vous tire du néant et vous ramène parmi les vivants ; vous ressentez pour elle ce que vous n'avez encore jamais éprouvé pour une femme. Car, de conquête en conquête, vous aviez fini par devenir un tombeur de salon, une mécanique vide de toute émotion, pourchassant plus que séduisant des proies qui venaient compléter un tableau de chasse. Et lorsque sont venues la guerre et la violence déchaînée, elles ont aboli en vous toute mesure ; votre rapport aux femmes s'est réduit au sexe, et de la manière le plus brutale qui soit. À chacune de vos permissions, avec quatre ou cinq de vos hommes vous investissez un hôtel de passe pour y dépenser votre solde en prostituées et en cocaïne. À ce stade, la femme a perdu toute humanité ; on la manipule à son gré, on lui fait subir toutes les violences sans que cela n'émeuve, et elle n'est, en fin de compte, que le déversoir de son sperme quand on le veut et où on le veut. Qu'importe, vous êtes certain de mourir, certain de ne plus pouvoir échapper à la grande boucherie dont le hachoir tourne jour et nuit et qui attend de saisir un bras, une partie de votre visage, vos jambes pour les mettre en charpie et les servir au grand buffet de la guerre. Vous êtes ce que l'époque est devenue : sang, mort et violences, dans la boue et l'immondice.

Et voilà qu'avec Marthe, tout change ; tout ce qui vous importe désormais, c'est de retrouver cette femme, cette femme unique dont le visage, les sourires, les parfums ne quittent pas votre cœur. En juillet 1917, vous êtes blessé une première fois près de Nancy. Après un court séjour à l'hôpital, vous convainquez votre colonel de vous laisser terminer votre convalescence à Béziers. Vous retrouvez

Marthe, et elle tombe dans vos bras. C'est la folie des corps ; cette exaltation physique et le bonheur immense que vous éprouvez vous transforment radicalement en un homme que vous étiez à mille lieues d'imaginer devenir un jour, petit et si grand en même temps, faible et courageux, fragile et fort à la fois. Tout redevient possible, la vie, la possibilité d'un avenir ; alors, dans le feu de la passion, vous faites la terrible promesse d'épouser Marthe après la guerre. Terrible, parce qu'au fond, vous réalisez bien vite que vous ne le voulez pas, tant vous craignez d'aliéner votre liberté. Il faut fuir pour ne pas commettre d'autres bêtises : vous écrivez à votre colonel en le suppliant de surseoir à votre permission et de vous réintégrer au plus vite dans votre régiment. Il y consent, et dans les larmes et les cris, vous repartez pour Nancy. La guerre à nouveau, avec son cortège de morts et de mourants, les coups de main et les offensives inutiles, des citations, des médailles ; partout, vous vous mettez en danger, vous bravez la mort avec constance et assiduité. Mais rien n'y fait, elle se défile, elle vous repousse, vous finissez toujours en héros au lieu de macchabée. Marthe sent bien que vous tergiversez et que ses suppliques n'ont aucun effet, alors, au mois de janvier 1918, elle frappe un grand coup : elle vous écrit à Verdun qu'elle s'est donné la mort, et que sa lettre est une lettre posthume. Le soir même, vous vous jetez dans une terrible mêlée, pressé d'en finir à votre tour, fou de douleur et consumé de remords. Une fois encore, vous survivez. Vous recevez quelques jours plus tard une nouvelle lettre, qui, d'une écriture bouleversée, dément le suicide. Puis une lettre encore, au milieu du printemps, affolée celle-là : le père de Marthe a découvert l'existence de votre liaison, et il exige un mariage immédiat pour régulariser votre situation.

Cette lettre ne quitte pas la poche intérieure de votre vareuse, vous la relisez sans cesse sans bien savoir comment y répondre. Et c'est la grande offensive, les Allemands attaquent. On vous envoie avec votre section tenter de contenir le flot ennemi qui déferle sur la plaine au-dessus de Vailly, dans l'Aisne. « Tenir coûte que coûte », vous a-t-on dit. L'ennemi qui submerge vos postes, vos hommes qui commencent à fuir, vous qui vous dressez pour leur intimer l'ordre de regagner leurs positions, et, alors qu'ils se couchent sous le feu ennemi, vous qui demeurez debout ; dans la poche intérieure de votre vareuse, il y a la lettre d'une femme aimée qui vous demande l'impossible ; autour de vous gisent les cadavres, et ceux qui respirent encore ne sont que des morts à venir ; en face, des cris qui font comme des aboiements, les claquements secs des fusils. Un soldat vous ajuste, une balle jaillit du canon de son arme, elle vous frappe, vous tombez, et c'en est fini, pensez-vous, alors que tout ne fait que commencer.

Vous tombez, on vous relève, puis l'hôpital et un début de convalescence, et, de Marthe, peu de nouvelles. De la manière dont elle apprend votre blessure, vous ne dites rien. Et pas de trace d'une lettre d'elle ; peut-être y a-t-il eu quelques billets hâtivement griffonnés, mais sans certitude. A-t-elle compris ? A-t-elle compris que vous n'êtes pas un héros, mais un lâche ? Enfin, lâche, c'est un bien grand mot, n'est-ce pas ? Vous n'êtes pas lâche, non ; vous avez hésité, hésité à un moment où l'immobilité pouvait se payer très cher. Vous ne vouliez pas du mariage, et vous ne vouliez pas de la rupture non plus. Alors vous avez toisé le destin, vous l'avez sommé de résoudre votre problème, de décider pour vous. C'est ce qu'il a fait, et d'une certaine façon, votre problème est réglé.

Pour l'instant, vous êtes inapte au mariage, et nul ne peut vous en imputer la faute.

Vous tombez donc, on vous relève, puis ce sont ces trois mois entre la vie et la mort à Toulouse où l'on vous a évacué, et enfin l'hôpital de Carcassonne lorsque votre état s'améliore, près des vôtres. Et bientôt, vous voilà chez vous, bien installé, confortablement, le plus confortablement possible. Vous souffrez bien sûr, mais vous souffrirez toute votre vie ; une pipe d'opium de temps à autre, quelquefois bien plus que vous ne devriez, mais qui peut vous en faire le reproche ? Vous reprenez une existence qui tient à la fois des temps anciens, ceux d'avant la guerre, et d'une vie nouvelle, une vie dont il faut nourrir tous les moments d'autre chose que le regret, l'amertume et la déliquescence des chairs et de l'âme. Finis les plaisirs du sexe, terminée l'exaltation de l'amour ; encombré de votre corps, vous avez tiré un trait sur ce monde-là, et si vous êtes décidé à avancer cahin-caha quoi qu'il vous en coûte, vous savez à quoi vous renoncez. Vous vous sentez vieux déjà, très vieux même, vieux comme ces ultimes vieillards qui ont renoncé au monde et qui attendent la mort, confits de remords et de regrets, la chair flasque et l'esprit hésitant. Vous lisez pour occuper le temps qui passe, vous écrivez à vos amis, vous jetez quelques lignes sur des cahiers sans vous rendre compte tout à fait que vous devenez écrivain ; et vous aurait-on affublé de ce titre que vous eussiez repoussé cette perspective avec effroi, de peur que l'on ne vous prenne pour un prétentieux ou un fat. De temps à autre, on vous emmène à la mer quand les cieux s'y prêtent ; d'autres fois, on vous pousse dans les ruelles de la vieille ville, et dans les cahots de votre chariot sur les pavés, vous rêvez de cathares, de chevaliers enragés et de belles dames endormies que vous ne réveillerez plus.

Et voilà qu'un matin d'avril 1919, votre sœur, votre père, votre mère vous tend une carte postale qui renverse toutes vos petites habitudes, qui jette par-dessus tête toutes les petites routines de la pensée que vous tentiez désespérément d'établir pour ne pas sombrer dans la folie ou la dépression ; voilà qu'un matin, une carte postale vous dit que Marthe n'en a pas fini avec vous, qu'elle vous aime et qu'elle veut vous revoir. Et rejaillissent soudain tous ces souvenirs merveilleux d'elle entre vos bras, de ses regards sur vous, de sa bouche sur votre bouche, de ses mains courant sur votre corps ; vous tremblez à l'idée que les vôtres puissent se poser à nouveau sur sa peau de satin et caresser ses joues, ses seins, et glisser jusqu'à l'alcôve soyeuse de son sexe. Durant cette première année d'hémiplégie, vous n'avez eu de cesse que de vous asexuer et d'ôter de votre esprit l'idée de vous le phallus dressé faisant l'amour à cette femme ; désormais, qui donc pourrait aimer une moitié d'homme au phallus inerte ? Vous confondiez tout, amour et sexe, mais comment se défaire de tous ses désirs, de tous ses fantasmes quand on a vingt-deux ans et votre passé d'amant ? Vous étiez en lutte – une lutte intime, secrète, solitaire et silencieuse – contre l'animal qui grognait tout au fond de vous, dans un combat indicible et éprouvant pour le faire taire. Et puis voilà qu'une carte postale vous dit que non, ce n'est pas vrai, vous n'êtes pas une moitié d'homme, vous n'êtes peut-être pas qu'un phallus inanimé puisque Marthe vous aime.

Seulement, en cette époque lointaine, organiser la rencontre d'un homme et d'une femme, fussent-ils majeurs, n'est pas une mince affaire.

Marthe habite Béziers, et vous ne quittez votre chambre que pour Villalier, à vingt kilomètres de Carcassonne, où votre père possède une belle demeure, ou bien La Palme, au bord de la mer. Vous voir ne sera pas chose aisée ; alors le voyage jusqu'à elle, vous allez le faire par la Poste, vous allez lui écrire, vous allez lui écrire pour lui dire combien elle vous manque, combien son corps vous manque, combien la distance vous pèse ; vos lettres s'enflamment, vos phrases se tordent et se convulsent d'impuissance, votre incapacité d'agir et la force de vos sentiments vous écrasent, et l'éloignement vous pousse à tous les excès : vous l'imaginez infidèle, vous exigez des preuves de loyauté, de chasteté, vous demandez des comptes sur le passé, sur un passé dans lequel vous n'existiez pas, mais où vous ne toléreriez pas qu'il puisse y avoir eu un autre. Marthe s'agace souvent de vos exigences, et elle aussi fait les comptes. L'absence fait naître le doute, la suspicion jusqu'au délire. Et ce sont de longues bouderies, qui donnent lieu à des rabibochages épistolaires aux accents merveilleux.

Il faut se revoir pourtant, contre vents et marées ; une première fois, vous organisez une rencontre à Lamalou-les-Bains, où vous prenez les eaux sur les indications d'un médecin qui a décrété que cela serait bon pour vous et vos vertèbres. Vous préparez minutieusement cette visite des semaines à l'avance : vous logerez à l'hôtel, dont vous faites un plan minutieux à Marthe afin qu'elle puisse rejoindre votre chambre par une issue dérobée, afin de préserver sa dignité de femme divorcée. Le sort s'en mêle, et le rendez-vous est deux fois remis, d'abord parce que votre père arrive alors qu'on ne l'attend pas, ensuite parce que Marthe contracte une grippe ; vous êtes comme un collégien qui aurait raté son premier rendez-vous, et vous enragez de cette attente contrariée. Mais votre persévérance paie, et c'est une première rencontre de quelques heures un après-midi. Ce qui se passe exactement, vous n'en dites rien ; ce que je sais, c'est que vous vous aimez, concrètement. Je ne sais rien de la manière, et si j'imagine que votre savoir-faire vous aura permis de trouver des palliatifs à votre impuissance, je ne veux pas réduire votre rencontre à des expédients, à de la technique et du savoir-faire. Quoi qu'il en soit, vous avez aimé Marthe corps à corps, et vous retrouvez le bonheur de vivre.

Je suis allé à Vailly, sur le plateau de Brunelle, j'ai voulu voir ce qui n'existe pas, ce qui n'existe plus, j'ai voulu savoir des choses qu'on ne peut connaître. Je suis allé à Vailly, sur le plateau de Brunelle ; j'ai repris les journaux de marche de votre régiment, j'ai étudié les croquis, j'ai relu les témoignages ; je me suis imprégné autant que faire se peut de tout ce qu'il y a à connaître du 27 mai 1918. J'ai préparé minutieusement ce voyage ; la veille, j'ai vérifié le niveau d'huile, de liquide de freinage, de refroidissement de la voiture, le bon état des essuie-glaces et la pression des pneus. Sur la carte, j'ai déterminé les points de passage pour faire les cent vingt-sept kilomètres qui séparent mon domicile de la cote 180. Avant d'aller me coucher, j'ai complété ma musette de ce qu'il y manquait ; trois sondes urinaires, une tablette de comprimés de morphine et une de paracétamol.

Le réveil n'a pas eu à sonner ; à cinq heures, j'étais lavé et habillé, et à cinq heures quinze, j'étais dans ma voiture en route pour Vailly. L'aube se levait, découvrant un ciel uniformément gris, un de ces ciels lavé par la pluie et qui ne semble rien savoir de l'azur. À Saint-Quentin, j'ai pris au sud-est vers Laon et Soissons. J'ai vogué sur une mer de blés verts, l'autoroute traçant son sillon rectiligne au milieu d'une mosaïque de parcelles immenses où se noie le regard. J'ai atteint mon objectif à l'heure prévue, et garé la voiture à l'emplacement repéré sur la carte d'état-major. J'ai débarqué le fauteuil, et nous avons roulé vers l'est, sur un petit chemin de terre ; au loin, déjà le roulement de tambour, et les éclats de voix des 120 mm, et ceux, plus secs et plus nombreux, des 77. Brinquebalé par les cahots de la route, je m'arrête dans ce petit bois avant de reprendre haleine. Je serre les accoudoirs de mon fauteuil de toutes mes forces ; la mitraille claque devant nous, la terre se soulève en de petits tressautements qui dansent en lignes et en courbes sur le sol. À quelques mètres, il y a un fossé dans lequel s'abriter. J'y parviens avec peine, le fauteuil s'enfonce dans la terre trop meuble. C'est ici qu'il faut tenir, dans ce fossé, derrière ce petit talus : dans ces mains cramponnées à la crosse du Lebel, il y a plus que du devoir, et ces lèvres pincées, cette mine décidée sont plus que de l'obéissance ; on va défendre son pays, on va tout faire pour empêcher qu'un autre, un ennemi, un sauvage, ne mette la main sur cette terre, sur ce sol, et s'arroge le droit d'en disposer à sa guise. S'il faut s'employer à la baïonnette ou au couteau, on s'emploiera à la baïonnette et au couteau ; s'il faut se battre poings contre poings, on se battra poings contre poings. On tire, on tue, on se fait tuer, mais on ne recule pas. Les grenades lacèrent et défigurent, les balles font craquer les os, et, bientôt, la résistance diminue à mesure que les hommes tombent. Ils sont partout, tout est perdu. Je veux fuir mais un cri m'arrête ; vous êtes là, par terre, avec vos bottes rouges, votre poitrine trouée et votre visage d'ange. On se précipite sous le feu pour vous venir en aide, l'un sort une toile de tente de son barda, un autre vous protège de son corps en s'allongeant contre vous, puis on vous roule dans le jute et l'on s'échappe ; le long de la pente, on vous traîne sans ménagement, sans qu'aucune balle ne vienne mettre fin à cette étrange retraite. C'est à Vailly, sur le plateau de Brunelle, que s'allume le grand feu qui vous embrasera le cœur, et moi, je reste là, pantois, vide, à regarder deux hommes en traîner un autre, deux hommes debout qui tirent un corps brinquebalant dans une toile de tente. Cahin-caha, j'ai descendu la colline, j'ai chargé mon fauteuil dans le coffre, et je suis rentré chez moi, gorge nouée.

Depuis son divorce, Marthe vit chez son père et n'a renoncé ni aux convenances ni à sa bonne réputation, en dépit de vos quelques rendez-vous flamboyants et nocturnes. Pour régulariser votre situation et vous installer dans une vie plus conforme aux exigences du temps, vous n'avez pas le choix, il faut vous marier et obtenir pour ce faire l'accord de son père. Cependant, votre handicap et vos impossibilités physiques sont certainement de gros obstacles à cette union aux yeux de votre beau-père putatif, petit-bourgeois bien-pensant que le premier mariage raté de sa fille avait froissé et qui n'était pas du tout prêt à la laisser partir à nouveau avec une moitié d'homme, fût-elle commandeur de la Légion d'honneur et vétéran de Verdun et la Somme ;

vous étiez certes un héros de guerre, mais vous aviez l'héroïsme tapageur avec cette moitié de corps inerte et inutile. Et quelle moitié ! La moitié qui donne des héritiers et qui fonde des familles, la moitié qui donne aux pères des petits-enfants qui seront matière à s'enorgueillir de soi, de sa race et de son sang. Avec vous, pas de petits-enfants ; vous n'êtes que promesse de grisaille et d'obscurité sur votre charrette qui attire les regards, vous qu'il faut vider et torcher comme une poupée sordide ; non, assurément non, vous n'êtes vraiment pas ce qu'on appelle un « bon parti ».

Pour espérer convoler en justes noces, il n'y a donc pas d'autre choix que de guérir, et retrouver un physique plus en accord avec les attentes de votre beau-père. Cependant, cette guérison se fait attendre, des semaines, des mois, des années, et Marthe, jeune, jolie, si elle vous aime, a bien du mal à vous rester fidèle. C'est ce que vous ne cessez d'imaginer en tout cas, et vous n'avez de cesse d'obtenir des justifications de votre aimée sur sa conduite. Pas de téléphone, peu de lettres au final pour s'expliquer, votre relation tourne à l'aigre, l'un et l'autre ne cessant de demander des comptes dans un lourd climat de suspicion.

Et il y a cette révélation que Marthe vous a faite peu après vos retrouvailles et qui pèse lourd sur votre relation : ses lettres de guerre, ces lettres qui vous ont poussé à faire tant de folies, à prendre tant de risques, cette lettre qui annonçait votre liaison découverte par le père de Marthe, sa colère et les coups reçus, cette lettre surtout qui vous disait son suicide et qui vous jeta à l'assaut d'une tranchée allemande au mépris de tous les dangers pour y chercher la mort, toutes ces lettres n'étaient pas d'elle. De peur des accrocs que ferait à sa réputation la découverte de votre liaison – si vous aviez le mauvais goût de mourir au combat –, Marthe chargeait une cousine de les recopier et vous envoyait ces doubles afin qu'on ne reconnaisse pas son écriture. Quoi que vous en dites, ce défaut de sincérité vous a laissé un goût amer et quelques doutes sur la capacité de Marthe à dire vrai. Ce climat morose s'éclaire au moment de vos quelques rencontres – trois ? quatre ? –, mais le doute et la rancœur finissent par gagner, et vous vous séparez en 1924.

C'est la désillusion de trop. Cette année-là, cela fait six ans que vous errez de cabinet médical en cabinet médical, et vous en avez plus qu'assez. Votre survie est devenue un scandale médical ; il y a ceux qui vous assurent que vous remarcherez bientôt, et ceux qui ont la conviction que votre vertèbre finira par se rompre et que vous finirez tétraplégique et suffocant d'incertitude. Vous en avez assez d'être le témoin contraint de la petite humanité malheureuse et mesquine de vos contemporains, la foule silencieuse des patients soumis aux vexations de ceux qui, dans leur blouse blanche, jouissent du petit pouvoir que leur confèrent leur statut et leur fonction ; vous en avez assez des contraintes administratives dans lesquelles s'engluent ceux qui ne savent pas, qui n'ont pas les facultés de comprendre le fonctionnement d'un système si vaste que nul n'en connaît les frontières. Et vous en avez assez de la violence du monde, quand, sur votre fauteuil, il vous faut affronter les seuils de porte, les trottoirs défoncés, les nids-de-poule, les flaques, les rétroviseurs des voitures, les poteaux de signalisation et les feux rouges. Pour traverser la rue, il faut descendre une falaise de béton et en grimper une seconde pour accéder au trottoir d'en face ; les zones pavées sont des champs de mines, dont les tressautements vous cisaillent le dos et les hanches. Et puis, il y a tous ces renoncements : finie Venise, terminées les balades dans les rues escarpées de Cordes, les escaliers sont devenus des barrières infranchissables qui vous obligent à renoncer à tant d'endroits qu'il vaut mieux ne pas se mettre à les compter. Car il faut renoncer encore et encore, renoncer à être libre de ses mouvements, renoncer à toute spontanéité, à partir sans prévoir, sur un coup de tête ; sortir, c'est systématiquement faire des plans, scruter des cartes, imaginer les courbes de niveau et des reliefs, anticiper et perdre toute insouciance.

Vous en avez assez, et vous dites : « Ça suffit. » À la grande surprise de votre famille et de vos proches, vous demandez à quitter le logis familial du bas de la rue de Verdun pour investir la chambre du grand-père qui vient de mourir, au 53. Là, vous faites fermer les volets, tirer les rideaux, vous faites poser une lourde tenture de tissu épais devant la porte. Vous édictez vos règles : vous voulez bien participer aux repas dominicaux de la famille, parfois, vous acceptez qu'on vous installe dans la belle décapotable de votre ami Ducellier pour faire un tour dans l'arrière-pays audois, mais la majeure partie de votre vie, vous voulez la vivre loin de la lumière vive du jour, dans votre chambre, dans une nuit organisée, qui court de votre lever à votre coucher, et qui dure aussi longtemps que vous le souhaitez. Désormais, c'est vous qui décidez à quel moment l'extérieur s'immiscera à l'intérieur, à quel moment une lettre, une visite, un soin viendra vous rappeler que vous n'êtes pas seul au monde.

Et pour repousser les ténèbres et donner à votre cerveau les moyens de tenir tête à la douleur, il y a, de plus en plus, l'opium que votre père vous a prescrit et qu'il vous encourage à prendre sans mesure ; près de votre lit, une boîte à tabac et une pipe vous tiennent lieu d'armée pour combattre la souffrance. Vous connaissez les dangers de la drogue ; durant la guerre, vous avez éprouvé les effets d'un surdosage, quand votre vie ne tient plus qu'à un fil, une petite voix qui vous maintient en vie et vous dit de ne pas céder aux sirènes d'un plaisir trop extrême qui vous conduirait au cimetière. Car ce serait si facile et pas besoin d'un revolver : une très forte dose, la volupté et la mort. Mais vous n'en ferez rien, car, en vous enfermant, vous faites le choix de la vie, le choix d'investir un nouveau monde, le monde où se déploient les idées, où l'on peut écrire ses rêves, et rêver sans dormir, un monde où tout redevient possible, où il n'y a pas d'autres limites que celles que la nature vous a fixées à votre naissance, où la destinée n'a aucun pouvoir. Dans cette chambre obscure, Joe devient Joë, et l'invalide un écrivain.

Il s'appelait Louis Houdard, il était jésuite et c'était votre capitaine. Pour vous, jeune sous-lieutenant, il était votre chef, et c'est à lui que vous deviez rendre compte. Vous étiez dissemblables jusqu'à la caricature, lui le prêtre éclairé d'une lumière que vous n'aviez pas, et vous, l'athée percutant qui ne ratiez jamais l'occasion de montrer votre liberté de penser en raillant l'Église et sa discipline austère. Au fil des semaines et des mois se noue entre vous une amitié si forte qu'elle confine à l'amour, mais d'un amour dont la nature n'est ni physique ni intellectuelle. C'est de votre âme, de la quintessence de votre être dont Louis Houdard est épris, d'une partie de vous à laquelle vous n'avez pas accès, mais dont lui perçoit toute la richesse et la profondeur, et dont l'intensité tient à la fois de l'affection qu'éprouve un père pour son fils et de la passion d'un amant pour son amant. En ces circonstances terribles où il devait vous ordonner de risquer votre vie, il n'était pas question d'exprimer ces sentiments avec une quelconque ardeur ou même dans une religieuse attention ; il est votre capitaine et il connaît son devoir. Car s'il est profondément chrétien, il n'en est pas moins guerrier, et c'est un étrange jésuite en vérité que ce père Houdard, mais son étrangeté rejoint la vôtre, et votre amitié se fonde sur des contrastes qui ne sont en réalité que des similitudes déguisées.

Le 27 mai 1918 dans l'après-midi, c'est le père Houdard qui vous donne pour instruction d'aller vous poster près de la route de Vailly et de tenir votre position coûte que coûte. Il sait qu'en vous donnant cet ordre, vous vous engagerez au-delà du possible, et que « coûte que coûte » signifie pour vous « jusqu'à la mort s'il le faut ». La balle vous frappe, vous tombez, on vous ramène au poste de secours. On informe le capitaine Houdard que vous êtes blessé, mourant peut-être. Les obus pleuvent, les Allemands continuent d'avancer, mais il quitte tout pour venir à votre chevet. Vous, vous pensez avoir failli ; d'avoir reculé, vous pensez l'avoir déçu, et ce sentiment vous déchire le cœur. Vous le lui dites d'une voix saccadée, moitié douleur, moitié sanglots. Il vous écoute sans rien dire, jusqu'à ce que le silence se fasse. Après un long moment où sa main n'a pas lâché la vôtre, il se penche doucement vers vous et dépose sur votre bouche un baiser, un baiser chaste et léger, tout de compassion ecclésiastique et de passion platonique à la fois. Puis, toujours sans un mot, il se lève et vous quitte. Le lendemain matin, la compagnie du capitaine Houdard est prise dans une embuscade sur les bords de la Vesle. Les combats sont extrêmement violents ; on en vient au corps à corps ; un coup de crosse sur le crâne l'assomme, et il est jeté dans la rivière où il est englouti par les flots. On ne retrouva jamais son corps.

En cette journée où vous manquez de mourir pour l'amour d'une femme, en cette journée où tout vous semble perdu, Louis Houdard vous enseigne que l'amour n'est pas que l'exaltation du corps, et qu'aimer n'est pas que jouir. Il vous inocule le virus d'une manifestation nouvelle de l'amour, l'amour désintéressé, où le sentiment a plus d'importance que ses manifestations concrètes. Des années plus tard, lorsque vous aurez fait vos choix, et que vous aurez renoncé au monde matériel, vous saurez vous souvenir de cette leçon pour recréer un univers à votre mesure dans votre chambre du 53, rue de Verdun, et vous ferez de l'amour, l'amour universel des hommes, le fondement de votre œuvre.

Dès votre retour à Carcassonne, après votre convalescence, vous organisez scrupuleusement vos journées pour ne pas sombrer dans le désœuvrement. Vous reprenez le grec et le latin, vous vous passionnez pour le Moyen Âge et le catharisme – vous vous faites le spécialiste de Raymond Lulle, ce philosophe mystique du XIIIe siècle dont vous déchiffrez les œuvres avec ardeur ; vous dévorez la bibliothèque familiale, et vous sollicitez tous vos amis pour qu'on vous envoie de la lecture. La tenue de votre correspondance prend une place croissante dans vos journées, et, au fil des mois, cette activité va prendre le pas sur toutes les autres, et sans vous en apercevoir vraiment, écrire devient la raison d'être de votre existence. Sur les conseils de votre père, vous composez de petits textes que vous soumettez au poète François-Paul Alibert qu'on vous a présenté et qui croit en votre talent ; il vous fait entrer dans l'équipe des *Cahiers du Sud*, revue littéraire méridionale fondée à l'image de *La Nouvelle Revue française*, et avec laquelle vous allez activement collaborer. Peu à peu, vous étendez votre réseau de connaissances, et multipliez les rencontres : entre autres, Claude Estève qui enseigne la philosophie dans un lycée de Carcassonne, avec qui vous créez la revue *Chantiers*, René Nelli, grand historien du catharisme et André Gide, qui vous met en relation avec le milieu littéraire parisien.

À l'aube des années vingt, vous entrez donc en littérature à la manière d'un ermite, reclus, loin du bouillonnement de la capitale, mais pleinement intégré à la vie culturelle nationale par le réseau d'amis et de correspondants que vous tissez dans toute l'Europe. On admire l'homme couché qui ne se perd pas dans sa douleur ; et puis, c'est l'écrivain qu'on en vient peu à peu à admirer, ce sont vos textes qui impressionnent vos amis, vos lettres, la profondeur de la réflexion que vous y déployez dans un style inimitable. Votre volonté d'écrire du neuf, de rompre avec l'ancien monde d'avant la guerre attire l'attention d'André Breton, qui vous intègre aux signataires du premier *Manifeste du surréalisme* en 1924.

Et, à la manière des surréalistes, vous pratiquez une forme d'écriture automatique, cette technique qui demande à l'écrivain d'abandonner la recherche du sens pour laisser sa plume courir sans contrainte ni retenue sur la page afin de laisser libre cours à l'expression de son inconscient. Il faut le reconnaître, cette lecture est d'un abord difficile, mais pour peu que l'on s'oblige à abandonner son exigence à trouver un sens à ce qu'on lit, et qu'on se laisse porter par votre prose comme on se laisserait porter par le courant de la rivière sur un bateau, c'est une expérience saisissante qui ouvre sur un monde étrange aux surprenants parfums, un monde onirique et déroutant peuplé de fées, de magiciens, d'interrogations existentielles et métaphysiques. Un vaste bric-à-brac d'idées et de souvenirs, d'historiettes et de longs poèmes en prose.

Cette curieuse manière d'écrire pourrait vous faire passer pour un pédant, qui cherche à choquer par la forme parce qu'il n'a rien à dire sur le fond. Vous n'avez rien d'un pédant, et, chez vous, cette forme d'expression n'est pas de la prétention ni une volonté de faire du genre. Ce n'est que votre façon d'arriver à la vérité, à la vérité de vous-même. Car, chez vous, il n'y a pas de phrases inutiles ; vous voulez être au plus près de ce que vous êtes, vous voulez retrouver en vous une humanité première, dégagée de tous les artifices de l'existence, une part de la lumière d'éternité qui anime tous les hommes. Tout est réfléchi, pesé, jaugé, vous travaillez sans cesse à trouver la forme juste, le ton juste, le mot juste, pour exprimer le plus précisément possible vos idées et vos sentiments, en cherchant à atteindre le cœur autant que l'esprit. Même si l'écrivain s'est construit progressivement, le choix que vous faites de vous cloîtrer au 53 de la rue de Verdun détermine votre destin littéraire ; vous optez pour la vie, en toute conscience, dans un changement radical, une transformation du jour au lendemain, dans laquelle l'écriture aura toute la place. Ce ne fut pas un jeu ni une expérience, vous n'avez pas tout à coup proclamé : « Je choisis la vie », vous avez choisi la vie contre le néant au terme d'une véritable réflexion, une réflexion concrète et charnelle. Vous avez envisagé votre situation tangible dans le monde, vous, immobile pour toujours, enfermé dans la pénombre, et dehors, l'humanité grouillante, repoussante mais tellement attrayante. Ensuite, il y a votre œuvre, sa qualité, le travail qu'elle vous demande, et les motivations qui vous poussent à investir tant d'énergie dans l'écriture, et pour quel résultat ? Pour combien de lecteurs ? Pour combien d'années ? Et votre place dans l'éternité de l'Histoire ? Vous avez songé à tout ça, et, en regard, à la possibilité de vous donner la mort ; pour vous l'athée, le néant, la fin de l'expérience de soi, de la conscience. La fin de ces maux si terribles qu'on ne sait les dire parce qu'aucun terme ne peut les décrire, la fin de l'invalidité et de l'immobilité imposée ; fuir, fuir le regard des autres, et fuir le regard que l'on se porte, fuir les souvenirs douloureux de soi en pleine forme ; accéder au néant pour se gommer de l'univers.

Mais vous avez choisi la vie, vous avez choisi d'accepter les bons et les mauvais moments, vous avez choisi de vous satisfaire d'un demi-corps ; vous avez choisi d'écrire même si, dans cent ans, vous n'êtes plus rien et que personne ne vous lit, car vous êtes convaincu qu'il y a un plan pour vous, un plan dont le destin est l'exécutant, et que, dans ce plan, votre place est celle d'un écrivain, d'un écrivain et d'un homme blessé, blessure et œuvre étant indissociables ; vous en êtes de plus en plus convaincu : le 27 mai 1918, vous avez pris la place qu'on vous réservait dans l'Univers ; « ma blessure existait avant moi, je suis né pour l'incarner. »

À Carcassonne, votre maison est en plein centre-ville. La rue de Verdun est une rue passante, et le 53 est non loin de la halle aux grains et de sa place commerçante. Vous habitiez une grande bâtisse de pierre jaune de quatre étages, dont les larges fenêtres aux petits carreaux donnent à la façade un air de majesté qui tranche avec les habitations mitoyennes. Pour parvenir jusqu'à vous, il fallait passer sous un porche et rejoindre une cour intérieure afin de pouvoir emprunter un grand escalier qui monte jusqu'au ciel. On m'a proposé l'ascenseur, un ascenseur tout neuf en aluminium argenté, mais je tiens à faire ce voyage marche après marche. Cela n'a rien de solennel cependant, seulement une mise en situation pour écrire ce livre, rien de plus, une expérience concrète dans un voyage d'étude. Je m'apprête à monter cet escalier comme j'en ai monté tant d'autres.

C'est un vieil escalier très large et très lumineux, avec des marches peu profondes, des marches qui vous obligent à faire attention parce qu'elles n'ont pas les caractéristiques des marches d'escalier modernes, calibrées pour être toutes les mêmes ; je redouble donc d'attention pour ne pas trébucher. Et c'est d'abord à cet effort que j'attribue l'étrange sentiment qui commence à poindre en moi au fur et à mesure que je monte vers votre chambre. Une légère oppression de la gorge d'abord, vers la dixième ou onzième marche, qui descend sur la poitrine en s'accentuant pour devenir, à la vingtième, presque gênante. Bien qu'il fasse grand jour, la lumière s'est estompée, et c'est presque à la nuit noire que j'entame la seconde partie de la montée. L'image de vous devient alors obsédante, cette photo, particulièrement, où l'on vous voit sur votre lit, votre visage tourné vers l'objectif. Vous ne souriez pas, vous n'avez pas l'air triste ou préoccupé, vous êtes juste étrangement présent, concentré, comme si vous étiez à l'écoute d'un interlocuteur invisible qui vous dirait des choses essentielles. Et c'est ce que vous êtes de plus en plus, dans cette cage d'escalier, étrangement présent. Je cache mon trouble alors que je finis de gravir cet Everest, et j'entre dans le petit musée qui vous est consacré. Vous êtes partout bien sûr ; en photo, au travers de vos lettres, de celles que vous avez reçues, de quelques feuillets de manuscrits ; trois salles bien faites, claires, lumineuses, même si j'ai toujours l'impression d'être en pleine nuit.

Je ne suis pas un pèlerin ; si j'étais un pèlerin, je brûlerais de me rendre jusqu'à votre chambre pour adorer les quelques reliques qu'il doit y subsister. Moi, je prends mon temps, je lis les lettres, les feuillets de manuscrit, je regarde attentivement les photos de vous, j'écoute ce qu'on me dit, j'essaie de comprendre ce que fut votre existence. Je ne me précipite pas pour voir un lit et quelques meubles dans une pièce aux murs défraîchis et aux papiers peints presque centenaires. Pourtant, j'en meurs d'envie. Je meurs d'envie de voir ce qu'il reste de vous derrière les grandes vitres qu'on a posées pour interdire l'entrée de votre chambre, je meurs d'envie de savoir si une once de votre pensée demeure vivante dans ce bocal, je meurs d'envie qu'on me dise si les draps blancs de ce lit qui semble avoir été fait ce matin sont les vôtres, et si vous avez bien lu tous les livres qui sont sur ces étagères. Mais une fois devant la paroi de verre, je ne dis rien, je ne montre rien ; mon cœur bat à tout rompre et je le gronde de s'emballer ainsi. Je ne suis pas une midinette, et je n'ai rien d'un fan. Ce que je perçois pourtant est tout à fait incroyable ; je me sens jeune et vieux à la fois, et la perspective de finir comme vous, cloué au lit ne m'effraie plus autant qu'une heure auparavant. Je ne sais rien de mon futur, ni de l'évolution de ce mal qui m'oblige à m'asseoir dans un fauteuil électrique pour faire plus de cent mètres. J'ai de l'énergie à revendre, et, à la fois, je me sens un vieillard en fin de course ; mon corps et mon esprit ne vont plus au même rythme, définitivement plus. Et me voici devant votre lit qui est aussi votre table de travail, et au seuil de votre chambre qui est l'unique horizon de votre existence, alors que vos livres regorgent d'énergie de vivre. D'ici, de ces quelques mètres carrés, vous avez saisi le monde sans que vos yeux ne puissent voir autre chose que des murs peints et de temps à autre des figures amies ; vous avez construit une œuvre lumineuse sans que la lumière du soleil ne vienne jusqu'à vous.

Je n'en doutais pas, j'en étais certain même ; l'esprit peut tout quand il est à l'œuvre. Cependant, ce n'était jusqu'alors qu'une spéculation intellectuelle, une conviction un peu facile, une pensée fourre-tout sans déclinaisons réelles, sans mise en œuvre. Devant ce lit aux draps d'une blancheur éclatante, devant les rayonnages de votre bibliothèque, cette certitude est devenue très concrète ; je saisis à votre chevet que l'invalidité n'existe pas, qu'elle n'est elle aussi qu'une création de l'esprit. Certes, il y a les contraintes, les terribles contraintes, les douleurs, et les renoncements ; il y a tout ce que l'on ne peut pas faire, tout ce que l'on ne peut plus faire. Mais si l'esprit demeure, si la force d'inventer est intacte, on peut vivre, vivre vraiment, intensément, et espérer le bonheur. Vous n'avez jamais été invalide, vous n'avez jamais été handicapé ; vous avez été meilleur, vous avez été plus créatif, vous avez pesé davantage sur le Destin des hommes ici, couché sur ce lit, qu'auparavant, courant de conquête en conquête, plein de vie et de santé. L'invalidité, c'est un état d'esprit, murmurez-vous et nous sommes tous des invalides. Oui, nous souffrons tous de la même plaie, blessés de vivre puisqu'il faut mourir, puisqu'il y a la mort tout au bout. Je ne suis pas un pèlerin, et il n'y a pas eu de miracle, mais il me semble qu'en sortant de chez vous, je n'ai jamais été aussi vivant.

Marthe vous a appris à aimer une femme autrement que pour son corps. La femme a cessé de devenir un objet de désir à consommer sans retenue, vous avez appris à patienter, à conquérir sans partir à l'abordage, sans blesser ni outrager. Vous avez mesuré la puissance de l'amour, mais de vous sentir si intensément attaché à Marthe, vous avez craint qu'il n'en soit fini de votre liberté ; la joie immense de l'avoir pour femme et la peur gigantesque d'imaginer qu'un jour vous pourriez la perdre vous ont paru insupportables. Il a fallu fuir, fuir une existence trop compliquée ; vous vous êtes offert à la première balle venue, sans succès. Cette balle, vous le savez maintenant, au lieu de vous ôter la vie, vous a révélé à vous-même ; vous êtes né le 27 mai 1918, lorsque vous avez perdu la moitié de votre corps et trouvé tant de raisons de vivre.

Cette vie, vous l'envisagez seul désormais, car vous n'imaginez pas, après l'échec de votre relation avec Marthe, qu'un autre amour soit possible. D'abord parce que vous êtes dans l'illusion que la séduction ne peut pas s'envisager sans avoir la liberté de se mouvoir, et vous prenez l'intérêt que vous portent les femmes pour de la pitié et de la commisération, et ne prêtez guère d'attention aux regards brûlants des yeux amazones. Vous vous trompez bien sûr, et la vie va se charger de vous le démontrer, en même temps qu'elle va vous faire bourreau d'un cœur auquel vous ne vouliez aucun mal. Elle s'appelle Alice ; alors que vous passez l'été à Villalier, elle se glisse un soir dans votre chambre et s'assied sur votre lit, sans dire un mot et avec le plus grand naturel. Dans ce petit village, tout le monde vous connaît ; vous êtes le héros de guerre, celui qu'on voit dans sa charrette prendre le soleil sur la grande terrasse de pierre et qui griffonne sans cesse sur son cahier noir, l'homme au profil d'épervier qu'on dit écrivain. Écrivain ; pour une jeune fille des années trente, d'un petit village du Sud-Ouest, c'est une promesse d'exotisme, de voyage, c'est l'idée d'une vie étrange et palpitante. Alice vous épie des semaines avant d'oser s'introduire dans votre jardin et franchir votre seuil. À Villalier, si les persiennes de votre chambre sont tirées, c'est pour vous protéger de la chaleur et non pas avec la volonté de recréer le monde clos de la rue de Verdun ; les limites sont floues et les frontières plus poreuses, et Alice ne brise aucun de vos interdits en se glissant jusqu'à vous. Vous la laissez faire, et elle reviendra tous les soirs. Elle a des grands yeux de petite fille et son rire est encore plein de l'adolescence qu'elle vient à peine de quitter ; votre affection pour elle va se muer en un grand amour, fort et vrai, qui ne s'embarrasse pas des codes moraux. Car elle est jeune oui, beaucoup plus jeune que vous, mais ce n'est pas une enfant ; elle vous aime terriblement, avec ardeur. Dans sa passion pour vous, elle est toute joie et désespoir, et son exaltation à vous chérir a quelque chose d'effrayant.

Elle veut à tout prix vous épouser, elle est prête à tous les sacrifices pour vous. Vous tentez vainement de la raisonner en lui rappelant ce qu'est votre vie d'invalide, l'immobilité contrainte, les soins, les douleurs et la fatigue, et puis quelle vie pour l'épouse d'un homme de marbre gisant pour toujours sur un mauvais lit qu'il ne peut partager ? Vous ne croyez pas à un bonheur conjugal capable de conjurer vos souffrances. Vous vous faites dur, cassant peut-être, vous lui faites du mal en voulant faire son bien, et l'immense amour qu'elle a pour vous se mue en un profond désespoir. Finalement, vous vous séparez et elle se jette dans les bras d'un ami d'enfance qu'elle épouse bientôt. Une fois encore, la mort est là, qui rôde : Alice a un enfant qu'elle perd en bas âge, son mariage est un désastre, et elle meurt jeune, seule et dans le dénuement ; terrible histoire qui sent le mauvais roman qu'on aurait trop poussé au tragique. Vous aurez beaucoup de regrets d'avoir causé tant de peine, sans comprendre au fond les motifs de votre refus, et sans les chercher vraiment. Votre existence était réglée : onze mois sur douze dans un monde édifié à votre guise, un mois à Villalier, à goûter l'été installé sur la terrasse à l'ombre des platanes centenaires, engourdi par la chaleur et les stridulations des cigales, couché et levé à pas d'heure ;

prisonnier de votre corps, certes, mais libre de vivre à votre tempo et dans une solitude un peu égoïste et aussi confortable que possible. Mais vous garderez Alice dans votre cœur toute votre vie, vous chérirez le souvenir de ces soirées étranges à Villalier, où la chair et l'esprit communiaient en un amour singulier.

Plus vous avancez en âge, plus la force de votre pensée et l'immensité de votre talent de littérateur impressionnent vos contemporains, et écraseraient presque s'il n'y avait toujours cette très grande humanité qui illumine tous vos textes, et qui laisse croire à chacun qu'il est un lecteur intelligent et sensible. Vous lire, c'est nouer avec vous une relation particulière, singulière, c'est entretenir un rapport intime d'homme à homme et, j'ose le dire, d'âme à âme. L'essence même de votre être apparaît partout dans votre littérature, un être lumineux, tortueux aussi parfois, jamais petit car immense de cette grandeur qu'on accorde aux hommes exceptionnels, ceux qui s'élèvent au-dessus des contingences banales, triviales, de l'existence pour donner à l'espèce humaine ses lettres de noblesse ; ces « grands hommes » dont on admire la profondeur de vue et l'épaisseur de sentiments. Vous êtes aussi devenu en quelques années un intellectuel de haut vol, vos lectures et les rencontres ont formé votre esprit et vous êtes l'égal des grands penseurs de votre temps. Vous entretenez des correspondances suivies avec les plus illustres d'entre eux, philosophes, écrivains, artistes, issus du mouvement surréaliste en premier lieu ; André Breton et Paul Éluard seront des amis proches et fidèles tout au long de votre vie. Les murs de votre chambre sont à l'aune de ces rencontres et de ces amitiés, nombre d'œuvres des plus grands peintres de ce premier tiers du XXe siècle y sont accrochées ; Dalí, Dubuffet, Tanguy, Bellmer et Miró.

Mais ce sont les toiles de Max qui tiennent la vedette. Vous l'avez rencontré chez votre sœur, en 1928, et, très vite, en quelques heures, une amitié s'est nouée, une amitié dont la solidité et la profondeur immédiate vous ont surpris ; il est celui qui vient combler le vide entre vous et le monde. « Il est le seul qui porte au-dedans de lui toute la nuit intra-utérine où il a été conçu. » Le seul ? C'est oublier un peu vite les circonstances de votre propre naissance, vous qui n'étiez prêt à quitter la « nuit intra-utérine » que pour une autre nuit, la Grande Nuit, et qui n'avez dû d'accéder à la lumière qu'à l'obstination d'une sage-femme. C'est ce qui vous plaît chez lui, cette liberté de vivre parce qu'on a choisi de ne pas mourir, en toute conscience, et une liberté qui ne tolère aucune entrave ; toute sa vie résonne dans la vôtre, et vos existences n'ont de cesse de se mêler et s'entrecroiser. Même si les visites sont rares, votre correspondance est riche ; vous faites de Max le fondement de votre vie littéraire, et, de son œuvre, le génial commencement d'une révolution artistique.

Avec Max, il est question de destinée commune, et si votre raison repousse l'idée d'un Dieu vous avez le pressentiment que la conjonction de vos vies dépasse les possibilités du hasard et de la statistique. Ce que vous allez construire ensemble sera plus grand que l'addition de vos deux noms, vous en avez la conviction. Il n'y a pas de Joë sans Max ; « je voudrais que l'on ne puisse parler de l'un de nous sans penser à l'autre. »

Elle s'appelle Ginette. Marthe était trop loin, Alice trop près, Ginette se tient à la bonne distance. Au sortir de la guerre, alors que vous passez l'un de vos premiers étés de rescapé à Villalier, une petite fille se faufile un après-midi dans le jardin et tombe nez à nez avec vous, somnolant sur la terrasse. La petite fille s'immobilise, pétrifiée par votre regard d'oiseau de proie blessé. Vous vous toisez quelques secondes, et elle s'enfuit. Bien des années plus tard, la petite fille s'est transformée en une belle jeune femme qui vient passer des vacances avec des amies dans une maison du village. Elle n'a pas oublié le jeune homme dans sa charrette dont le regard lui a vrillé le cœur ; la charrette n'est rien, et la moitié d'homme inerte qui reposait dedans n'est rien non plus. Elle, elle, c'est cette lumière dans vos yeux qui l'obsède, cette lumière si vive, si intense, qui vous rend si vivant, tellement plus vivant que tous ces hommes qui lui tournent autour et qui pensent, parce qu'ils sont capables de danser et de courir, qu'ils sont plus complets, plus entiers que tous les invalides et gueules cassées que la terre peut porter. Non, elle, de cette jeunesse arrogante et suffisante, elle n'a cure. C'est vous qu'elle veut.

Vous, de votre côté, de savoir que des jeunes filles passent leurs vacances à trois cents mètres de chez vous ne vous laisse pas indifférent, et il ne faut pas longtemps avant qu'une rencontre s'organise. C'est d'abord à quelques-unes qu'elles viennent partager vos fins d'après-midi ; puis ce sont des soirées au clair de lune, on fume, on boit un peu, on discute de tout et de rien, mais des regards se croisent, les sourires se font de connivence, et l'envie d'être seuls, en tête à tête, se fait plus pressante. Alors on s'organise, on s'échange des mots doux par le biais de servantes qui se prêtent au jeu avec malice, ravies qu'elles sont de donner au monsieur dans son fauteuil autre chose à faire que de lire et d'écrire des fariboles. Et on se retrouve au fond du jardin à se dire des choses définitives entre deux baisers. Mais dans ce conte de fées, les parents de Ginette se montrent peu coopératifs ; Ginette n'a que dix-huit ans, et vous êtes trentenaire. De retour à Carcassonne, il faut cacher qu'on s'aime et utiliser des stratagèmes de plus en plus alambiqués pour se voir, au risque de se faire prendre. Car il faut se voir, il faut s'aimer dans des corps à corps passionnés, il faut unir la chair pour fusionner les âmes. Et Ginette se prête volontiers à toutes les expériences, sans complexe, sans fausse pudeur. Ginette, c'est votre femme-enfant, enfant dans sa fraîcheur ingénue, femme incarnée et désinhibée, qui fait de vous un homme épanoui. L'alchimie a opéré, et le plomb est d'or ; le couple que vous formez avec Ginette est le point d'orgue de votre existence, et vous êtes à l'instant de votre vie où toutes les promesses de l'existence sont en passe d'être tenues. Vous êtes l'homme paradoxal qui, diminué d'une moitié, devient un homme accompli.

Vous, l'invalide, l'hémiplégique, l'impuissant, on pourrait croire que l'amour physique vous était interdit. Mais l'amour n'est pas que sexe, et le sexe n'est pas question que de phallus.

Vous ne vous êtes pas résigné, et vous n'êtes pas devenu un de ces amoureux qui s'abîment dans une contemplation spirituelle de l'aimée, dans une exclusivité de l'esprit sur le corps où l'âme toucherait au plaisir sans que la chair ne s'anime ; vous n'êtes pas un romantique contemplatif, vous ne pratiquez pas une chasteté romanesque pour sublimer vos passions, et si votre phrase parfois s'envole au détour d'une lettre d'amour, elle n'atteint le ciel que pour mieux s'incarner. Il n'y a rien d'abstrait à aimer, et, avec Alice, vous éprouvez à nouveau le désir d'étreindre un corps, de caresser une peau, de savourer le goût du frisson. Et cette fusion des êtres dans l'embrasement des corps, c'est un court instant l'illusion de l'éternité, une éternité dans laquelle l'idée d'un Dieu est possible pour peu qu'Il cautionne l'amour charnel, quelle que soit la forme qu'il prenne, et qu'il ne s'embarrasse pas des règles morales de l'Église catholique. Car peu importe la manière dont l'amour s'incarne, et peu importe l'altérité sexuelle ; il n'y a pas d'hétéro ou d'homosexualité, il n'y a que des êtres qui s'aiment et qui éprouvent cet amour dans leur chair, intensivement vivant.

Ce n'est pas bien difficile à trouver, Villalier est un petit village : en venant de Carcassonne, il faut prendre la première rue d'importance qui s'en va à main gauche. C'est au fond d'une impasse, un grand portail avec sur l'un des piliers, gravé en lettres d'or : « L'Évêché » ; cette belle bâtisse fut le refuge des évêques de Carcassonne qui y venaient l'été pour échapper aux grosses chaleurs, et trouver un peu d'ombre et d'air en prenant de l'altitude ; elle était donc quelques semaines durant « L'Évêché ». C'est un bâtiment aux murs épais qui tient des bastides provençales sa façade monolithique et rectangulaire, percée de fenêtres sur deux étages, avec en son milieu une entrée principale à laquelle on accède par un escalier de pierre. Elle ferme l'un des côtés d'un grand jardin aux platanes majestueux ; tout est calme, le vent chuchote dans les ramures et le temps s'écoule sans qu'on y prête attention.

J'aurais aimé entrer, la visiter, chercher dans ses moindres détails des traces de vous, dans les fissures des murs, les craquelures du bois des portes, le mastic sec et cassant des vieux carreaux des fenêtres, mais j'ai eu peur de déranger. Je n'ai pas osé pousser la grille, et je suis resté au seuil de votre maison. Au vrai, j'ai eu peur de m'attacher, de m'amouracher de ce tas de vieilles pierres et de ne plus pouvoir me défaire de l'idée de la posséder, d'en faire ma propriété et d'y couler des jours forcément heureux puisque vivant là où vous avez vécu. Alors, j'ai préféré demeurer du bon côté de la frontière, là où l'idée de vous demeure maîtrisable et où vous n'envahissez pas trop ma vie. Vous êtes déjà suffisamment présent, sans que je ne sache si c'est vous qui rôdez ainsi dans mes pensées, ou l'idée de vous, une idée de vous qui ne serait d'ailleurs pas vous du tout, qui ne serait qu'une construction sentimentale dans laquelle votre image me ressemblerait trop. Je ne suis pas un biographe, et je n'ai pas cherché à l'être ; je voulais simplement découvrir comment vous aviez réussi ce tour de force de continuer à vivre en dépit de toutes les entraves que vous a imposées le destin. Et ma quête du personnage quelque peu lointain que vous étiez alors à mes yeux a très rapidement pris une autre allure ; vous m'avez séduit, j'ai aimé l'écrivain, l'homme ; j'ai commencé à me dire que j'aurais aimé vous connaître, que j'aurais aimé avoir eu un ami tel que vous, et que dans un monde entièrement soumis à la correspondance électronique, j'aurais aimé avoir avec vous une relation de papier, une bonne vieille relation épistolaire, de stylo plume à stylo plume, et aujourd'hui, après tous ces mois de recherche et de lecture, toutes ces heures à penser à vous, à essayer d'imaginer l'homme que vous étiez, ces semaines entières à dépouiller votre correspondance le matin pour construire ce livre et à vous relire le soir pour éprouver le plaisir ineffable du lecteur comblé, j'ai l'intense sensation que nous l'avons eue, cette relation épistolaire, et que j'en serai l'orphelin triste et dépossédé lorsque tout cela sera terminé. Alors, entrer chez vous, c'était risquer d'aller trop loin, faire de vous une icône et entrer en dévotion, à chercher des traces de votre présence dans les lézardes des plafonds et les restes jaunis de papier peint. Je ne veux pas m'extasier sur d'autres reliques que vos lettres et vos poèmes. Alors, je préfère rester dehors.

Depuis 1922, Max vit à Paris, où il travaille et vit aux côtés de vos amis surréalistes à Montparnasse. Il vient à Villalier, où vous le regardez peindre des heures durant dans le plus grand silence ; vous, Max et sa peinture. Était-ce un soir ou un matin ? Dans le jardin à Villalier ? Dans votre chambre à Carcassonne ? Max est allemand, et il a combattu vaillamment lui aussi ; vous parvenez à évoquer la guerre sans méchanceté, sans patriotisme déplacé, vous en discutez comme de vieux copains, des anciens combattants qui se racontent leur guerre ; en 14, j'étais là, et vous ? Vous étiez ici ? Et en 15 ? Ah, moi j'étais là. Oh, et puis Verdun ! et la Somme ! et le Chemin des Dames ! Et en 18, Max, où étiez-vous ?

Oui, où étiez-vous, Max Ernst, en 1918 ? Au printemps précisément, pendant cette grande offensive qui a manqué de peu de vous conduire jusqu'à Paris, où étiez-vous ? En Picardie ? Et au mois de mai ? Étiez-vous de ceux qui se tenaient prêts à jaillir sur le Chemin des Dames ? En étiez-vous ? Vous en étiez, vraiment ? Alors le 27 à l'aube, que faisiez-vous ? Eh bien, vous débouliez à toute vitesse sur le petit village de Vailly. À la tête de votre section, vous étiez à la pointe de l'attaque ; l'un de vos hommes, envoyé en reconnaissance, vous dit qu'un peloton de Français tient un petit bosquet en haut de la colline. Rapidement, vous faites vos plans ; vous allez les surprendre de trois côtés simultanément, pour ne leur laisser aucune chance, car, on vous l'a dit, il faut passer coûte que coûte. Vos soldats se jettent à l'assaut avec une rage décuplée ; ils ont avancé depuis l'aube comme jamais en quatre années de guerre. Terminées les tranchées, les charognes et la boue, c'est la course au grand air, et l'on prend les positions ennemies les unes après les autres, comme à la parade, baïonnette au canon, et ce bosquet-là ne fera pas exception. Ça tiraille de partout, les balles sifflent autour de vous. Des soldats français commencent à s'enfuir, mais un lieutenant se lève et les ramène à leurs positions en les engueulant. On dirait qu'il ne craint pas les balles celui-là, avec ses bottes rouges qui brillent au soleil ; il brave le feu comme s'il était invulnérable. Est-ce vous qui l'ajustez ? Ou l'un de vos hommes ? Un doigt presse une détente, un coup part dans un bang supersonique, et l'officier aux bottes rouges s'écroule. C'est le signal de la déroute ; les Français quittent la colline en désordre. Mais, sous un feu continu, deux Français couchent l'officier sur une toile de tente et le traînent jusqu'à leurs lignes. Ce doit être un bon officier, pensez-vous, pour que ses hommes risquent autant pour lui. Oui, c'est un bon officier, et, sans le savoir, vous venez de mettre fin à sa vie, en lui donnant la chance d'en vivre une autre.

Quel fut l'effet de cette révélation ? J'imagine qu'il y eut un long silence. Un très long silence. Ce devait être à vous de le briser ; Max était noyé de perplexité, écrasé de remords, et abasourdi par l'incroyable coïncidence. Peut-être avez-vous ri, peut-être avez-vous pleuré. Peut-être êtes-vous tombés dans les bras l'un de l'autre. Max est un cadeau de la vie, elle l'a choisi pour vous. Il vous a montré le chemin, sans lui, vous n'êtes pas l'artiste, l'homme que vous êtes ; il est une révolution artistique disiez-vous, et vous vous teniez sur la même barricade. Combien de chances y avait-il pour que vous rencontriez le tireur, celui qui avait manqué de vous couper en deux une fin d'après-midi de mai 1918 ? Et combien de chances y avait-il pour que ce tireur devienne votre meilleur ami ? Un tel concours de circonstances ne relève pas du hasard ; c'est impossible. Qui alors ? Qui ? Ou quoi ? Qu'est-ce qui manipule ainsi le destin des hommes ? Quelle est cette entité qui bouscule ainsi sans cesse votre existence ? Et qui aurait parié que cette balle vous ferait meilleur, vous, l'ancien mauvais garçon, plein de violence rentrée, qui aurait parié que vous aviez en vous les ressources pour grandir, vous éveiller à l'amour, à l'art, à l'amitié ? Ce ne sont pas des questions existentielles en ce qui vous concerne ; vous n'avez de cesse d'expérimenter, depuis votre blessure, les effets de ce jeu curieux. Trop de coïncidences, trop de hasards qui défient les lois de la statistique ; et Max qui tient le fusil et qui vous ajuste, c'en est trop. Il y a une main quelque part qui a conçu un plan pour vous, un plan dont vous ne voyez qu'une infime partie, et dont les buts sont obscurs. Il est difficile néanmoins d'admettre l'existence de cette main invisible ; le monde souffre trop, et que l'on pense à la guerre ? Quelle entité machiavélique peut inscrire la guerre, votre guerre, celle des gueules cassées, des millions de veuves et d'orphelins, dans le plan qu'elle fait pour l'humanité ?

« Les voies du Seigneur sont impénétrables », vous répétait-on invariablement lorsque vous étiez enfant ; la phrase qui explique tout sans rien dire. Et vous, vous qui êtes pénétré de douleurs, vous qui êtes confit de souffrances, pourquoi ? Quel est votre grand péché ? Et voilà que l'homme que vous aimez le plus au monde, celui dont la peinture vous semble être l'expression artistique la plus aboutie de l'histoire de l'art, celui-là est l'origine de ces douleurs et de ces souffrances.

Il faut en convenir, il faut convenir que Max est le bras armé du Grand Ordonnateur ; « tu m'as appris comment on naissait ». Votre naissance biologique fut une catastrophe, et la mort n'a eu de cesse que d'essayer de vous saisir, mais lorsque vous avez consenti de succomber à cette maîtresse indocile, elle s'est refusée à vous. À la place, c'est Max qui est venu, et qui a mis un terme à votre première existence ; d'un coup de feu, il a éloigné la mort, il vous a fait naître à l'art et renaître à la vie. Il vous a illuminé, et vous, avec cette lumière, vous éclairez le chemin de ceux qui vous lisent. Jusqu'à aujourd'hui. Si l'on croit au Destin, si l'on croit au Grand Ordonnateur, c'est le chemin qui vous conduit jusqu'à nous. Si l'on doute, il reste les questions, et les étranges, si étranges, coïncidences.

Nous appelons ça la « soirée Dalton » ; nous sommes quatre vieux amis, dont la taille va décroissant de manière inversement proportionnelle à nos âges. Je suis le plus jeune et le plus grand avec mes deux mètres, et Hugues est le plus petit et le plus âgé. Entre nous, il y a Thierry et Xavier. Nous nous connaissons tous les quatre depuis une vingtaine d'années, et deux à trois fois par an, nous nous retrouvons donc pour une « soirée Dalton », dîner auquel se joignent nos épouses et qui se tient immuablement à la maison. Céline prépare un repas qui se veut exceptionnel sans tomber dans l'extravagant, et je choisis des vins dans cette mesure. Nous dînons en nous donnant des nouvelles de chacun de nous, de nos proches, de nos connaissances communes ; les bons mots fusent et, sous l'effet de l'alcool, perdent quelquefois un peu en finesse ; on s'amuse, on rit, on parle fort, on est heureux. Nous évoquons les choses graves, sans que cela ne pèse ni ne plombe l'ambiance, car les difficultés, nous les partageons, autant que faire se peut. Comme nous avons tous un passé complexe, nous appréhendons la vie de multiples manières, avec anxiété, avec confiance, avec indifférence, en fonction des tempéraments. Nous avons nos zones d'ombre et nous ne cherchons pas à les dissimuler, sans en faire pour autant le centre de nos conversations. Nous savons pouvoir compter les uns sur les autres, et passer ce moment ensemble est un des bonheurs de nos vies.

J'ai eu beau chercher, j'ai eu beau prêter une attention particulière aux détails de votre correspondance, je n'ai pas trouvé de « soirées Dalton », et la convivialité ne paraît pas être l'une de vos préoccupations majeures. Certes, vous avez vos déjeuners familiaux du dimanche ; vos parents, votre sœur Henriette avec son mari, peut-être leurs enfants, je ne saurais dire, et j'imagine que c'est l'occasion d'un bon repas, avec une bonne bouteille de vin, mais, à vrai dire, je n'en sais rien. En revanche, de moments partagés avec vos amis autour d'une bonne table, il n'en est pas question. Et pourtant, j'imagine que James Ducellier, pour ne parler que de lui, avec sa bonne tête de bon vivant, sa bouille toute ronde et son embonpoint qui déborde de ses beaux costumes, devait bien vous proposer de temps à autre une virée au restaurant, ou même faire venir d'une bonne table carcassonnaise des petits plats jusque chez vous ? Et que dire de Marie, cette bonne Marie qui vous sert depuis tant d'années et qui prend si bien soin de vous, elle qui vous lave, qui vous torche et vous nourrit, ne vous propose-t-elle pas de temps à autre de changer l'ordinaire avec une belle tranche de foie gras frais poêlée aux raisins, ou une cuisse de confit de canard ? Nous sommes à Carcassonne, que diable ! Et il y a Noël, et les anniversaires ! Il n'est pas question de se goinfrer, nous sommes d'accord, mais tout de même, le plaisir des papilles vaut bien le plaisir de l'esprit, et d'ailleurs, le plaisir des papilles est un des plaisirs de l'esprit. Mais non, je perçois chez vous un ascétisme un peu rigide, presque dogmatique, où l'activité intellectuelle est une activité absolue, souveraine, qui ne cède à aucune autre, si ce n'est pour s'entretenir et faire le plein d'énergie.

Et cette absence de bonne chère se double d'une absence d'humour un peu effrayante, je dois en convenir ; vos lettres sont brillantes, mais elles ne sont pas drôles, jamais. Vos romans non plus, ils ne sont pas drôles ; ils sont pleins de fantaisie, mais ils ne prêtent pas à rire. On viendra me dire que votre vie non plus ne prête pas à rire, et que votre situation vous aura privé de tout motif de sourire. Je vous vois sourire cependant, oui, vous souriez souvent, et vous n'êtes pas austère, non. Vous pouvez être rigoureux, certes, rugueux, très certainement, coléreux, sans aucun doute, d'une colère qui fut explosive et qui est devenue, avec les années et la sagesse, froide et d'autant plus terrible. Et vous pouvez être méchant, dur, méprisant ; vous n'êtes ni un saint, ni un de ces parfaits cathares que vous admirez tant. Mais vous n'êtes pas brutal, et oui, vous souriez ; vous avez l'amour de la vie, vous êtes habité par cette lumière qu'ont ceux qui goûtent l'existence parce qu'elle leur a presque tout ôté. Vous souriez, un sourire discret, à peine visible, une ombre sur vos lèvres minces ; pas de rire néanmoins, et je parierais que vous n'aimiez pas ces éclats, que vous deviez considérer comme une explosion indélicate, un mouvement trop intempestif de l'intérieur. Longtemps, il fut interdit aux gens bien nés de rire, et, quoi qu'il en soit, vous êtes un homme bien né qui a réfléchi à son éducation et en a gardé ce qu'il trouvait indissociable d'une bonne tenue, une tenue d'homme de pensée. De la délicatesse en toute chose, une parole rare et toujours à bon escient, une élégance vestimentaire en toutes circonstances – vous aurez le pyjama et la robe de chambre impeccables du soir au matin – et de la retenue, surtout, de la retenue.

C'est d'ailleurs ce que vous reprochez à Ginette, de trop rire, trop parler, de se laisser aller aux modes du temps, qu'elles soient vestimentaires, musicales ou littéraires, ou, encore, d'adopter les tics verbaux de ceux de son âge ; bref, vous lui reprochez d'être une jeune fille de son époque, alors que vous l'avez rêvée jeune femme à votre image, modelée par vos soins, l'esprit formé par les lectures que vous lui auriez conseillées, l'âme pure, élevée au rang de déesse, votre déesse, en même temps que vous auriez été son dieu. Ce n'est pas de la prétention ni de la mégalomanie, c'est de la naïveté pure, enfantine.

Vous êtes pour elle un étrange pygmalion dont les enseignements touchent à la pratique comme au spirituel ; vous orientez ses lectures philosophiques et lui enseignez les meilleures façons de se caresser. Ginette suit avec sérieux et enthousiasme vos préceptes. Elle partage aussi votre goût de la cocaïne et de la fessée, et vos rencontres prennent un tour qui, Ginette étant quelque peu bavarde, scandalisera le Tout-Carcassonne.

Il vous manque quelque chose, cependant, il vous manque le concret, le vivant, le touchant ; avec Ginette, vous n'avez jamais pris votre petit-déjeuner au lit, pas de dîner en tête-à-tête, pas de balades sur la plage, en forêt, dans les ruelles de Carcassonne, pas de fous rires, et pas de bouderies non plus, si ce n'est au travers de lettres très écrites parce que extrêmement pensées, qui ne laissent aucune place à la spontanéité. Vous voudriez communier avec l'humanité tout entière ; votre amour dépasse le singulier, mais, à ce titre, il devient trop lourd pour une seule femme. Il écrase au lieu d'étreindre, il étouffe au lieu d'épanouir. Mais vous, vous êtes certain d'avoir trouvé en Ginette votre alter ego féminin. Jusqu'à votre dernier jour, alors qu'elle sera mariée et heureuse avec un autre homme, vous poursuivrez votre correspondance et jamais votre amour pour elle ne se démentira. Aimer Ginette est le grand défi de votre vie. Défi, parce que vous recherchez sans cesse à sublimer vos sentiments, vous ne vous contentez jamais d'une eau tiède ou un peu chaude ; vous, il vous faut du brûlant, quitte à ce que vous en soyez blessé.

Avant que n'éclate le grand orage d'une autre guerre, votre vie prend les quelques virages qui vous mèneront à la dernière ligne droite. Ce n'est pas encore la fin, non ; seulement, la vie se fait plus âpre, elle vous écorche davantage, et votre soif d'exister perd en intensité. Vous avez le sentiment parfois qu'à force de vous élever au-dessus des autres, vous les perdez de vue. Ainsi en a-t-il été de Ginette, à qui vous n'avez pas su inspirer l'amour dont vous rêviez pour elle, pour vous, et qui vous quitte pour un homme qui l'aime sans l'étouffer. Sur le plan littéraire, vous avez tracé votre propre sillon et votre œuvre n'est pareille à aucune autre ; vous vous êtes éloigné du surréalisme, même si vous avez conservé dans le mouvement beaucoup d'amis. Vous êtes resté communiste de cœur, mais d'un communisme sans violence, sans dictature du prolétariat et sans purges incessantes ; si le petit-bourgeois vous insupporte, vous n'êtes pas prêt à voir vos parents et vos voisins gigoter au bout d'une corde. Vous n'êtes encarté nulle part donc, et vous pratiquez même une certaine modération qui tranche avec vos positions d'antan. Mais, en dépit de cela, vous continuez de faire tache avec vos étranges activités dans cette petite ville de province : vous écrivez des livres dont on ne comprend pas un traître mot, vous fumez de l'opium, d'aucuns prétendent même que vous prenez de la cocaïne, et que vous recevez des jeunes filles à des heures où elles devraient être couchées dans leurs lits, pas dans le vôtre. Vous êtes au cœur d'un réseau de rumeurs qui font les conversations, et cela vous agace, cela vous attriste, et cela vous isole davantage.

Vous avez fait le choix de vivre cloîtré, et de recréer le monde entre les quatre murs de votre chambre. C'est votre esprit qui a pris le dessus, qui règne en maître, votre pensée a pris le pas sur tous vos sens, qui ont perdu leurs connexions avec le monde. Davantage encore lorsque vous cesserez d'aller à Villalier, après l'entrée en guerre ; finie la sensation de la brise sur la peau de votre visage, finis vos doigts qui caressent les brins d'herbe de la pelouse, fini votre nez qui hume les vapeurs du matin dans le pépiement entêtant des oiseaux, et votre regard ne se perdra plus dans les hautes ramures des arbres du jardin. Désormais, votre univers ne s'éclaire que de la fulgurance de votre imagination ; les toiles de vos amis font sur vos murs de lumineuses fenêtres, mais avec le monde concret, avec la terre, l'eau et le vent, vous n'avez plus de contact. Cela fait vingt ans que vous ne savez plus rien du brouhaha du marché, des clameurs des maraîchers, et des bourrasques de tramontane qui bousculent les étals et les chalands, et voilà que vous abandonnez tout à fait toute relation tangible avec la communauté des hommes et la Nature en renonçant à Villalier. Vous êtes un écrivain, et écrire prend le dessus sur toutes vos activités ; vous acceptez de rares visites pour ne pas perdre tout lien avec la vie réelle, mais vous n'avez d'envie que d'écrire. Et sans le voir, vous nous quittez.

Survient alors un dernier miracle. Vous l'appelez « Poisson d'or », elle se nomme Germaine, elle a vingt et un ans. James Ducellier avait beaucoup insisté pour organiser chez lui une soirée en votre honneur. Vous aimez beaucoup James, alors, pour lui faire plaisir, vous avez dit oui, à son grand étonnement. On vous a descendu de votre chambre, on vous a installé dans sa belle voiture, et on est parti à cette soirée où vous étiez tellement attendu. Il y a du monde, et, contrairement à vos préventions, c'est un moment agréable. James a bien fait les choses, il a invité beaucoup des gens que vous appréciez, et pour les autres, il les a choisis avec soin, en espérant qu'ils sauront vous plaire. C'est le cas de Germaine. Elle est d'une belle culture et d'une grande intelligence, en plus d'être très belle et très élégante ; c'est le coup de foudre. Vous pourriez décortiquer, une fois encore, les ressorts du Destin qui vous ont fait accepter de sortir alors que vous ne sortez jamais, apprécier ce moment mondain alors que vous détestez ça, et aimer à nouveau une jeune fille alors que vous pensiez votre cœur voué à Ginette pour l'éternité. Nul besoin de décortiquer pourtant, vous avez cessé d'argumenter sur les hasards heureux et troublants qui émaillent votre existence, et vous en remettez sans ergoter davantage aux mains de ce Grand Ordonnateur dont vous acceptez de plus en plus la possibilité d'être et les arbitrages.

Avec Germaine, vous trouvez enfin le bon équilibre ; vous avez pris de l'âge, et si vous jouez au mentor, vous ne cherchez plus à imposer une façon d'être ou de vivre. Vous aimez Germaine d'une façon nouvelle, où le sexe a sa place, certes, mais d'une manière moins exclusive ; vous communiez par l'esprit plus que par la chair, et vous êtes protecteur sans écraser. Votre maîtrise de l'art épistolaire éclate en des lettres splendides, plus spontanées, plus fluides aussi, et d'une sérénité nouvelle.

Vous le sentez, la mort est la prochaine grande étape, et vous l'acceptez sans frémir. Vous l'attendez même comme une délivrance, les attaques de votre corps se faisant plus violentes, et vos addictions aux drogues plus fortes, et plus nombreuses. À la morphine, vous avez substitué l'opium depuis longtemps, et vous prisez de plus en plus régulièrement de la cocaïne, d'une façon souvent irraisonnée et jusqu'à la limite de l'overdose, au grand désarroi de votre père. Vous tentez plusieurs fois de vous affranchir de cet esclavage, sans succès. Les douleurs sont trop fortes, et les images de vos délires trop belles pour que vous puissiez vivre sans ces béquilles dorées. Alors oui, la mort serait une délivrance. Mais, avant le grand départ, vous devrez opérer une dernière mue, et mourir à la vie, mourir à vous-même dans le grand choc d'une nouvelle guerre.

Vous êtes à Villalier lorsque se produit l'inconcevable, l'inacceptable : le 1er septembre 1939, les troupes allemandes entrent en Pologne, le 3, la France et le Royaume-Uni déclarent la guerre à l'Allemagne. Cette escalade soudaine et le cataclysme de la guerre vous laissent pantois. La guerre ; votre esprit s'enflamme d'images de tranchées, de corps mutilés, de combats à mains nues et de bombardements d'artillerie ; de votre mémoire jaillissent des souvenirs oubliés, terribles, des souvenirs de vous tuant, massacrant sans pitié, achevant des blessés au fond d'un boyau rempli de cadavres ; la guerre vous ramène à l'homme que vous étiez, sauvage et cruel, et vous vous dites alors que cet homme-là, il est l'humanité tout entière, elle qui ne peut se passer de se déchirer à intervalles tellement réguliers. Ce n'était pas la « der des ders », et le socialisme n'y aura rien fait ; l'homme n'a pas changé, il est bien ce monstre qui meugle sur le *Guernica* de Picasso, cet imbécile qui ne voit pas dans l'œuvre de Max Ernst l'immense bouleversement artistique qu'elle produit, et qui reste insensible aux appels des surréalistes. L'homme est un animal, et son intelligence le rend plus cruel encore que ceux dont seul l'instinct est le moteur ; il n'apprend pas de ses défaites, et son envie de vaincre n'est pas rassasiée par ses victoires. La plus terrible des guerres a laissé l'Europe exsangue, et vingt ans n'ont pas suffi à ce qu'elle se remette de ses blessures, mais des traités de paix taillés à la hache et des frontières tracées au cutter par des vainqueurs acharnés à humilier les vaincus ont fait le nid des revanchards, et ceux de la pire espèce.

Vous imaginez la violence de la guerre de tranchées, sans savoir ni comprendre que c'est d'une tout autre violence dont il va s'agir. Ou peut-être que votre corps, lui, le pressent ; de manière incompréhensible, votre blessure à la moelle épinière se rouvre, et se met à saigner.

Vous entrez alors dans un état proche de la transse, et pendant des semaines, vous errez entre vie et trépas dans un voyage dantesque, tandis que votre corps se convulse sur le lit. On vous croit à l'article de la mort, et votre sœur fait dire une messe pour vous : vous, c'est avec le capitaine Houdard et les morts de la Grande Guerre que vous passez vos jours et vos nuits, à danser des gigues macabres ou à revivre les combats. Craignant le pire, on fait venir un prêtre, que vous refusez avec indignation, soudainement lucide, avant de sombrer à nouveau dans un semi-coma.

Mais vous n'irez plus errer aux enfers, votre rêve vous conduit en Espagne, une nuit d'août 1936, et vous assistez, témoin halluciné, à l'assassinat du poète Federico García Lorca, fusillé dans la campagne andalouse par un commando franquiste. Vous vous réveillez brusquement, et tout mal-être a disparu. Disparue cette congestion de l'œsophage qui vous épuisait en hoquets et vomissements, disparue la douleur des escarres, seule demeure une intense sensation de paix, de joie, et de confiance. Saisi d'une intuition soudaine, vous allumez la radio, à l'instant même où résonnent les premières notes d'un *Nocturne* de Chopin. Vous éclatez en sanglots, vous pleurez comme vous n'avez jamais pleuré, même à la guerre après l'assaut, même lorsqu'on vous a appris la mort de Louis Houdard, vous pleurez votre vie passée et celle à venir, vous pleurez de joie et de tristesse, vous pleurez pour vous laver et vous vider, vous alléger de ce qui fait souffrir et vous préparer à ce qui vient. Un monde va s'écrouler, et vous serez témoin de sa chute, une fois encore ; alors vous pleurez aussi ce monde qui s'en va, qui a été le vôtre et où vous avez brillé.

Votre sœur Henriette et votre cousin médecin qui sont à votre chevet depuis des jours n'osent intervenir, pensant que vos pleurs sont ceux d'un agonisant. Pour vous, sanglotant sous vos draps au goût d'eau de mer, c'est une nouvelle naissance, un renouveau qui prend ses racines dans ce maelström de sentiments contradictoires dont vous vous défaites en flots de larmes. C'est conscient de vos blessures, de vos manques et de vos doutes que vous entamez la dernière partie du chemin, vierge comme le nouveau-né qui vient à la vie, et prêt cette fois-ci à mourir sans aucun regret.

Ce ne fut pas la guerre que vous aviez imaginée ; pas de tranchées, ni de surplace imbécile à s'étriper pour deux cents mètres, une guerre de chars, de vitesse mécanisée et de bombardements qui défont en deux mois de temps la soi-disant meilleure armée du monde. La République balayée laisse place à un pouvoir qui ne tarde pas à vous faire savoir quelle sera son attitude à votre égard : en octobre 1940, une descente de police met votre chambre sens dessus dessous à la recherche d'opium et de cocaïne. La cachette était bonne, et rien ne sera trouvé, mais ce n'est que partie remise, vous le sentez bien. Beaucoup de vos amis sont mobilisés, et, fuyant l'occupation allemande, trouvent refuge en zone « libre », où la présence de ces représentants de l'avant-garde artistique n'est pas vue d'un très bon œil. Allemand, Max est d'abord interné au camp des Milles, puis, il parvient à quitter la France pour les États-Unis dont il ne reviendra plus. Éluard, Aragon, Paulhan sont à Carcassonne durant l'été 40, et vous visitent à de nombreuses reprises ; c'est l'occasion pour vous de resserrer des liens, de voir des visages aimés, d'en découvrir d'autres, et d'échanger, de débattre, de confronter vos idées à celles des grands noms du siècle et d'assurer votre place au milieu d'eux. L'abolition de la distance géographique donne une réalité concrète à ces amitiés, dans un ton de voix, des regards, des postures, toute cette part de langage qui fonde la partie visible d'une personnalité et qui jusqu'alors vous échappait. Eux découvrent le poète allongé dont ils ont tant admiré la prose et les idées, ils prennent conscience de ce qu'est votre vie, son apparente petitesse et son insondable grandeur. Cette période est pour vous un moment de communion intellectuelle et d'intenses déchirements ; les circonstances terribles de la guerre vous font rencontrer les plus belles pensées d'Europe qui fuient le totalitarisme nazi vers l'Espagne ou les ports de la Méditerranée. Ainsi, vous croiserez Simone

Weil, qui refusera un lit confortable chez vous pour aller dormir à la dure sur un banc de la gare de Carcassonne, Julien Benda, qui se cache en ville et qui vient à la nuit tombée débattre avec vous, et tant d'autres, qui se mêlent avec toute une foule d'anonymes, tentant désespérément d'échapper à la police vichyste et à la Gestapo ; des Juifs, des résistants, des intellectuels pourchassés que vous aiderez à fuir la France.

Car vous serez de ceux qui résistent, activement. Votre très bonne connaissance de la région, votre réseau d'amis et de relations, votre notoriété d'écrivain et votre prestige d'ancien combattant sont de précieux atouts pour assister autant que possible les parias d'un régime que vous abhorrez et qui vous le rend bien ; en mars 44, *Je suis partout* vous consacre un article nauséeux dont le titre – « Le dernier ghetto où l'on cause » – dit tout de l'estime où l'on vous tient. Vous, c'est avec fierté que vous vivez cette assimilation avec vos frères juifs pourchassés, et jusqu'à la Libération, vous continuerez à accueillir des réfugiés, à leur donner asile et à les aider dans leur fuite.

À la Libération, on vous fait président du Comité des intellectuels de l'Aude, et cette petite reconnaissance de vos concitoyens vous met du baume au cœur, il faut l'admettre. Pour vous, la guerre n'a pas été si terrible, dites-vous ; vous avez manqué de cocaïne, et l'opium a été plus difficile à trouver, voilà vos seules privations. Quant au reste, votre rôle dans la Résistance, votre activité militante, tout cela n'est rien au regard de l'immensité des souffrances qu'ont éprouvées des millions d'êtres humains. C'est ce que vous affirmez, sans fausse modestie. De fait, votre grand chagrin de cette période restera la mort de votre père en 1940, emporté par une maladie de cœur qu'il traînait depuis des années, ce père si proche et si lointain qui avait fini par développer avec vous une forme de connivence empruntée, mais une connivence tout de même, qui s'exprimait dans un regard, un sourire, un petit mot ou un bout de phrase. Vous aviez partagé en adultes vingt ans de vie commune ; le premier, il vous avait fourni en opium et il n'avait pas hésité à fouler aux pieds ses préventions de médecin pour essayer de soulager vos douleurs. Lui seul entre tous comprenait la nature de vos souffrances, leur intensité sans repères et sans limites, et leur caractère totalitaire ; il avait vu la douleur à l'œuvre, il l'avait vue arracher des plaintes chez les plus forts et les plus costauds, il avait vue des regards vaciller et se faire suppliants pour qu'elle relâchât l'étreinte de sa morsure. Mais, plus encore, il avait tenu votre main les nuits d'insomnie, il connaissait le son de vos cris, il savait l'odeur que votre corps rendait lorsqu'il suait de souffrance, il vous avait tenu dans ses bras les soirs trop difficiles. Il devenait alors un très court instant un « papa » à chérir, et cette accolade obligée prenait un tour plus intime, des bras serrant des bras avec l'amour d'un père pour son fils, d'un fils pour son père.

La guerre est terminée, un monde neuf est à construire, mais, cette fois-ci, vous avez le sentiment que ce n'est pas à vous de le faire. Même vos amours prennent de la distance ; vous espacez les visites de Poisson d'or, et votre relation nouvelle avec la jeune Linette est plus épistolaire que charnelle, même si sa jeunesse et la fraîcheur de son corps éveillent encore en vous des désirs d'amour physique, que son éloignement ne vous donnera pas. Sur le plan littéraire, vous êtes à présent une figure des lettres françaises, et cela vous flatte, quoi que vous en disiez. Cependant, il est temps, vous le sentez, de tirer votre révérence et de quitter ce monde où votre place est faite, et de découvrir s'il en existe un autre à défricher.

La mort, vous voulez la voir en face. Non pas l'affronter comme une ennemie, ni l'accueillir comme une amie ; non, vous voulez la voir en face pour en mesurer la nature, la substance, et savoir de quoi il retourne. Et pour cela, vous souhaitez avoir l'âme propre comme une âme d'enfant ; alors, vous vous confesserez, c'est décidé, même si cela étonne ceux qui vous connaissent, notamment les plus anciens d'entre eux, qui ont en mémoire votre anticléricalisme percutant des années de guerre et d'après-guerre. Pour vous, il ne s'agit pas de faire une juste contrition ni d'obtenir l'extrême-onction ; vous souhaitez exprimer vos doutes, vos remords et vos regrets, sincèrement, honnêtement. Votre confesseur sera le chanoine Sarraute, qui est un visiteur régulier de votre chambre, et dont vous appréciez la simplicité et la vivacité d'esprit ; il n'est pas dogmatique, et vous le savez capable d'adapter sa pratique aux particularités qui sont les vôtres. Les considérations techniques étant réglées, vous êtes prêt, et il n'y a plus qu'à prendre date.

Fin août 1950, une crise d'urémie se déclare qui résiste à la pénicilline qu'on vous prescrit à hautes doses. La fièvre est forte, et les douleurs implacables. Vos reins lâchent bientôt, et l'urée coule à flots dans votre sang ; elle s'agglutine dans votre cerveau, vous rendant confus et agité. Vous maigrissez terriblement, et on doit vous hospitaliser. Le 20 septembre, vous demandez à Henriette votre stylo qui est resté dans votre chambre, rue de Verdun. Elle croit en un sursaut, à un début de rémission, à un nouveau miracle ; elle court vous le chercher et vous l'apporte, pleine d'espoir. En murmurant, vous le lui remettez à votre tour : « tiens, je n'écrirai plus ». L'écrivain, le poète vient de mourir, mais demeure encore le grand homme qui attend sans impatience que la mort le prenne. Le 26 septembre, vous vous confessez enfin, d'une voix hachée et presque imperceptible, et l'abbé Sarraute vous donne l'extrême-onction. Vous voilà net. La mort qui attend depuis cinquante ans peut maintenant s'avancer. On vous ramène rue de Verdun, au milieu de vos livres et de vos tableaux. Le 28 septembre 1950, vers midi, c'est en souriant que vous expirez dans les bras de votre sœur Henriette.

Vous aviez fini par devenir une figure de la vie locale, et vos obsèques ont attiré les foules. On vous a enterré à Villalier ; votre tombe est à l'entrée du petit cimetière, sous un grand arbre, un platane, je crois. C'est une tombe toute simple, une dalle de béton recouverte de gravier fin. Une croix, votre nom, deux dates, et voilà tout. Tout cela respire un peu l'abandon, il faut en convenir. Mais l'essentiel n'est pas là.

La maladie m'a volé mon corps ; elle m'a volé tout ce qui faisait de moi un esprit agissant, elle m'a volé ma capacité à me mouvoir dans le monde sans même y songer, quand le cerveau ordonne et que muscles, os, tendons et articulations s'exécutent. Aujourd'hui, plus rien n'est naturel, tout est à prévoir, à envisager sous tous les angles, du plus petit mouvement de la main à la marche. Plus d'équilibre, plus de coordination spatiale, les mains se gênent l'une l'autre, les pieds traînent sur le sol et manquent de plusieurs centimètres l'objectif qu'on leur assigne. La moindre modification dans cet édifice bancal fait vaciller tout l'ensemble ; un mal de ventre, un genou qui coince, un peu de fièvre et tous mes repères sont perdus. Il faut réapprendre aussi vite que possible à diriger cette branlante machine. Pour les autres, ceux qui m'observent, tout semble aller du mieux possible ; je marche, je parle, je souris. Les médisants s'étonnent et soupçonnent. Les autres se taisent, sans savoir les douleurs incessantes, les souffrances nocturnes, les médicaments, les sondes urinaires, et le fauteuil électrique utilisé avec tant de parcimonie qu'on ne le voit pas. Je ne dis rien, car il n'y a rien à dire ; me plaindre n'aurait aucun effet bénéfique, et ceux qui m'aiment savent sans que j'aie beaucoup à raconter. On dira que je suis courageux, ou bien on me dira stupide de garder pour moi ces choses qui parfois étouffent. Ce qu'on dira m'indiffère ; je suis un homme, et j'essaie d'être à la hauteur de cet état.

Longtemps, j'ai fait des statistiques, évalué le nombre de chances que j'avais d'être frappé par un tel désastre, et devant le résultat sans cesse renouvelé, j'ai maudit le sort. Une chance sur plusieurs centaines de milliers ; une chance sur un million, dix millions, cent millions. Au final, qu'est-ce que ça change ? Un homme qui pourrit sur un fauteuil, voilà ce que je me disais, il ne reste qu'un homme qui pourrit sur un fauteuil. Au fur et à mesure que mon corps me lâchait, je devenais amer, coléreux ; mes proches, ma femme et mes enfants, tous m'étaient insupportables avec leurs mouvements sans heurts, leur démarche fluide et assurée, et leur mine de bonne santé. J'étais bien près de sombrer quand mon meilleur ami s'est donné la mort. Ce fut une dévastation dont les mots ne disent rien.

Alors, je dois le reconnaître, la vie m'a tendu la main. Une part de moi, forte, vigoureuse et brillante, insoupçonnée, a sonné le réveil. Ce fut une lente maturation : peu à peu, j'ai envisagé mon existence d'un œil nouveau, j'ai envisagé les journées comme des moments à vivre. J'ai appris à accepter ce que m'offre le jour qui vient ; il y aura des bonheurs et des malheurs, qui n'en a pas ?

Tout cela a un sens. Cela ne me rassure pas, pas plus que cela ne m'inquiète ; c'est une constatation qui s'impose, trop d'événements, de rencontres s'agençant en un tout qui forme pour moi une destinée, petite et à ma mesure. Une route se forme qu'il me faut simplement suivre, sans résister, sans me plaindre ni me réjouir trop vite. Et sur cette route, il y a eu notre belle rencontre, cher Joë. Vous m'avez charmé, vous m'avez attrapé dans vos lignes, vos mots, vos vers et vos phrases.

D'ici peu, lorsque j'aurai fini mes relectures et les dernières corrections, j'en aurai terminé avec ce livre. Je ne passerai plus chaque matin une poignée d'heures avec vous, et Marthe, et Aline, et Ginette, et Linette, à nouveau je perdrai de vue Max Ernst et vos amis surréalistes, mes pensées s'organiseront autour d'autres centres d'intérêt ; dans quelques semaines, lorsque j'aurai un peu de courage, je rangerai mon bureau, j'entasserai les versions successives de ce récit dans de grands cartons que je conserverai à la cave, dans l'espoir égoïste et prétentieux que l'un de mes descendants aille un jour s'y plonger pour comprendre la manière que j'avais d'écrire, et je remettrai vos livres sur les étagères. Certes, vous aurez une place à part dans mon cœur, et il n'y aura guère de jours sans que je pense à vous, intensément. Mais nous nous serons séparés, éloignés, et mon cœur se serre à cette idée. Cette tristesse n'a pas de remède ; c'est la tristesse des départs, lorsque les visages s'éloignent et que l'on ne sait pas lorsqu'on se reverra ; ça n'a rien de dramatique, c'est la vie, voilà tout. Je vous quitte donc, vous qui êtes plus vivant que moi, je vous laisse, grand homme, à l'Histoire, à la Littérature et aux générations de lecteurs qui viennent et qui continueront de s'extasier sur votre œuvre. Je m'en vais, cher Joë, sur la pointe des pieds, en ayant appris qu'il y a des tristesses heureuses, et je retourne au monde, à ma famille, à mes amis, plus fort et plus serein, nourri de vie et grandi de vous.

Remerciements

Je tiens à remercier M. René Piniès du centre Joë-Bousquet à Carcassonne, pour l'accueil érudit et chaleureux qu'il m'a réservé, et l'aide précieuse qu'il m'a apportée pour accéder aux sources qui m'ont permis d'écrire ce livre.

Cet ouvrage a été composé
par PCA à Rezé (Loire-Atlantique)
et achevé d'imprimer en novembre 2014
sur Roto-Page
par l'Imprimerie Floch
à Mayenne
pour le compte des Éditions Stock
31, rue de Fleurus, 75006 Paris

PAPIER À BASE DE
FIBRES CERTIFIÉES

Stock s'engage pour
l'environnement en réduisant
l'empreinte carbone de ses livres.
Celle de cet exemplaire est de :
550 g éq. CO_2
Rendez-vous sur
www.editions-stock-durable.fr

Imprimé en France

Dépôt légal : novembre 2014
N° d'édition : 02 – N° d'impression : 87630
51-51-4334/2